RONALD

Ronald

La Colección de L. Ronald Hubbard

BRIDGE PUBLICATIONS, INC.
5600 E. Olympic Blvd.
Commerce, California 90022 USA

ISBN 978-1-61177-709-3

Se agradece de manera especial a la L. Ronald Hubbard Library por el permiso para reproducir las fotografías de su colección personal. Reconocimientos adicionales: pp. 1, 9, 41, 75, 91, contraportada Dman/Shutterstock.com; p. 11 AridOcean/Shutterstock.com; pp. 18, 25 Colección especial y Archivos universitarios, La Biblioteca Gelman, Universidad George Washington; pp. 30, 34, 36-37, 58, 61, 63, 66, 71 kanate/Shutterstock.com; pp. 72-73 Tetra Images/ Getty Images; p. 82 Bruno Ferrari/Shutterstock.com.

The L. Ron Hubbard Series: Education, Literacy & Civilization– Spanish Latam

RONALD

La Colección de L. Ronald Hubbard

FILÁNTROPO
EDUCACIÓN,
ALFABETIZACIÓN
Y CIVILIZACIÓN

Bridge

PUBLICATIONS, INC. ®

CONTENIDO

Una Introducción a
L. Ronald Hubbard

"**H**E ESTADO OCUPADO EN UN ESTUDIO DEL ANALFABETISMO y de poblaciones analfabetas o semi-alfabetizadas y las aplicaciones de la tecnología y he descubierto algunos niveles sencillos de enfoque". –L. Ronald Hubbard

Aunque parezca un comentario hecho a la ligera, no lo es. Ese estudio del analfabetismo abarcó treinta y cinco años y culminó en un conjunto de conocimientos que de hecho ha cambiado la forma en que percibimos todo el tema del aprendizaje. En lo que respecta a aquellos "niveles sencillos de enfoque", estamos hablando, con toda verdad, de la solución a todo lo que constituye la crisis educativa moderna.

Para aquellos que todavía no están familiarizados con las obras de L. Ronald Hubbard, vamos a empezar con la exposición de algunos hechos igualmente simples: como Fundador de Dianética y Scientology, ha recibido un amplio reconocimiento de muchos sectores, pues basándose en las verdades centrales de estas dos materias, ha proporcionado soluciones a una amplia variedad de problemas críticos. Los métodos de LRH para la rehabilitación de drogas, por ejemplo, por lo general se reconocen como los métodos de mayor éxito y se emplean en la actualidad en seis continentes. De la misma manera, los métodos de LRH para la rehabilitación

de delincuentes se describen con frecuencia como los más eficaces del mundo, y en la actualidad se utilizan en sistemas penales de Europa, el continente americano, África, Asia, Australia y Nueva Zelanda. Además está todo lo que el nombre de L. Ronald Hubbard significa con respecto al resurgimiento moral, la revitalización de las artes, los métodos administrativos sensatos y equitativos, y por medio de Scientology en sí, la realización de nuestras aspiraciones espirituales más significativas.

Sin embargo, cuando hablamos de lo que L. Ronald Hubbard ha aportado al campo de la educación, estamos refiriéndonos a un compromiso muy especial. Además de haber fundado Dianética y Scientology, es también uno de los autores más leídos de todos los tiempos. Y fue por su amor a la literatura, que sólo los más grandes escritores poseen, que se ocupó de la crisis del analfabetismo.

"La incapacidad para leer", señalaba en 1979: "se ha extendido muchísimo más y es muchísimo peor de lo que se haya imaginado". Huelga decir que él tenía razón. Pero teniendo en cuenta la

Autor y educador L. Ronald Hubbard, Inglaterra, 1959

tendencia del analfabetismo a través de los años siguientes, de hecho hemos llegado a imaginar lo peor.

Para citar algunas estadísticas: a pesar de que a nuestra era se le ha llamado la era de la información, cerca de mil millones de personas siguen siendo analfabetas y por lo tanto carecen de información. De ahí las predicciones de brechas incluso más extensas entre las naciones desarrolladas y aquellas subdesarrolladas, y de agitación política. Además, el problema de ninguna manera se limita a las regiones carentes de tecnología avanzada. Es decir: mientras que alrededor de treinta millones de estadounidenses adultos no pueden leer un manual de instrucciones, un buen porcentaje de ellos carece de la suficiente alfabetización para hacer el trabajo más elemental. De ahí las predicciones de que un país avanzado tendrá una fuerza laboral que puede compararse con la de países subdesarrollados. Más aún, al ponderar las consecuencias culturales de las generaciones analfabetas futuras, se llega a un escenario escalofriante donde todas las tradiciones literarias se han perdido, precipitando lo que se ha descrito como un nuevo Oscurantismo.

Se podría decir mucho más. El analfabetismo entre los jóvenes delincuentes excede al 80 por ciento, lo que hizo que el Centro de Recursos para la Ética llegara a esta conclusión: "La tragedia fundamental de la educación estadounidense no es que estemos produciendo verdaderos ignorantes, sino que estamos produciendo salvajes". Asimismo, también está, por supuesto, todo lo que cuesta el analfabetismo en cuanto a pérdida de productividad.

En efecto, el declive en los últimos cincuenta años en la calidad de la educación occidental es directamente proporcional a la introducción de la metodología psicológica y psiquiátrica en las aulas.

"... el declive en los últimos cincuenta años en la calidad de la educación occidental es directamente proporcional a la introducción de la metodología psicológica y psiquiátrica en las aulas".

Sólo en Estados Unidos se calcula en cientos de miles de millones de dólares. Los declaración de la UNESCO sobre el analfabetismo indican un debilitamiento de la comprensión entre culturas, y el costo en vidas humanas es incalculable.

De modo que, en efecto, hemos llegado a temer lo peor. También hemos llegado a una época en la que el analfabetismo ya no es sólo una cuestión académica, sino que es una cuestión política y una cuestión muy candente. También ha dado lugar a toda una serie de frases, como: "El niño desfavorecido", "el niño con dificultades de lectura" y "no dejar atrás a ningún niño". Sin embargo, todavía nos preguntamos: "¿Por qué Juanito no puede leer?". El debate continúa sobre las cuestiones de los métodos de enseñanza, métodos de exámenes y cómo enfrentar los fracasos que resultan de ellos. Con lo cual llegamos a la más engañosa de todas las frases: las "clasificaciones psicológicas". No son simplemente otro aspecto del problema. Son un cáncer en el corazón del problema.

Se puede y se comantará mucho más, incluyendo sobre lo que la psiquiatría ha generado con el consumo de fármacos en el ámbito escolar, el índice de suicidios entre adolescentes y finalmente la eliminación incluso de la voluntad para aprender. Pero de momento, concentrémonos en la consecuencia más visible: el espectro horrible y sombrío del estudiante del siglo XXI.

Tiene entre seis y dieciséis años, y para entonces probablemente ya haya abandonado los estudios. No es sólo el estudiante estadounidense, sino el europeo, el asiático y el africano; se calcula que de todos los países registrados en las Naciones Unidas, un buen porcentaje de la población en todo el mundo apenas puede leer una palabra. Aunque esto no se puede medir fácilmente, el estudiante es claramente taciturno, irritable y hosco. Además, su manera de manifestarse es con frecuencia criminal, y hasta su ropa se inspira en la de los presos. Por último, y dado que las apariencias pueden resultar engañosas, también debemos tener en cuenta esto: al nunca haber leído un libro en su vida, lo que determina su alcance intelectual son los videojuegos, los programas de televisión, las películas de Hollywood y las letras de canciones pop. Por consiguiente, difícilmente puede expresar un pensamiento original.

Todo lo cual nos conduce a una declaración absolutamente crucial referente a las herramientas de L. Ronald Hubbard para el aprendizaje. Se ha dicho que L. Ronald Hubbard ha tenido el valor suficiente para afirmar que para cualquier problema de aprendizaje existe una solución viable. Aquí se mencionan unos cuantos de los miles de educadores que están totalmente de acuerdo. Provienen de todos los continentes y todos los ámbitos escolares, donde se enfrentan todos los días a ese estudiante del siglo XXI. Entre otras historias tomadas de sus listas de asistencia, se encuentran informes sobre gángsters de Los Ángeles que antes fueron analfabetos y que ahora se han convertido en lectores entusiastas, e informes sobre estudiantes problemáticos de zonas superpobladas urbanas, que han logrado un adelanto de dos años o más en el dominio de la lectura después de unas semanas de trabajar con herramientas de estudio de L. Ronald Hubbard. La introducción de estas mismas herramientas en la provincia china de Shandong, hizo que una de las clases de peor desempeño

llegara a ser la mejor clase de la ciudad, mientras que, una vez más, el mismo programa en la Ciudad de México mejoró las tasas de aprobación en los exámenes finales de un 5 por ciento a un 90 por ciento.

Más aún: tan destacada fue la mejora escolar en el sur de África que ahora todos los sistemas escolares emplean la Tecnología de Estudio de L. Ronald Hubbard. Sin embargo, la cuestión principal es simplemente esta: al hablar de la Tecnología de Estudio, no estamos hablando de una nueva ayuda didáctica, de una técnica de memorización o de un programa de lectura fonética. Más bien se habla de una tecnología de estudio completa, mediante la cual se puede asimilar y comprender cualquier materia. Tampoco se habla de un enfoque arbitrario. Por el contrario, estos son los componentes del estudio: esta es la forma de aprender, y a pesar de todo lo que se ha recomendado en nombre de la educación durante los últimos cien años, esto es totalmente nuevo.

Un elemento central de la Tecnología de Estudio de LRH, es la descripción de las tres barreras al estudio, que nunca antes se reconocieron, y que sin embargo constituyen las únicas razones de todos los fracasos educativos. Es decir, los educadores pueden hablar de manera superficial de Trastornos de Déficit de Atención, o de Problemas de Aprendizaje, pero no son más que artificios engañosos. Sus alumnos no son capaces de aprender porque nadie nunca les ha enseñado cómo hacerlo: cómo identificar las barreras al aprendizaje, y cómo superarlas.

convirtiéndola en un verdadero instrumento para una expresión significativa. El resultado es un estudiante que no sólo sabe leer y escribir, sino un estudiante que está *capacitado* para manejar el

"*Nuestra intención no es sólo rescatar a unos cuantos estudiantes. Nuestra intención es revertir todo este deterioro*".

Algo cuyo amplio alcance no es menor y que es aún más fundamental para el proceso de la educación es la siguiente gran aportación de LRH: El Curso Hubbard de la Llave de la Vida (The Hubbard Key to Life Course). El título es acertado y de hecho se relaciona con la última de nuestras observaciones introductorias: si uno en realidad comprendiera lo que lee y escucha, y si los demás también lo comprendieran a uno, entonces las puertas de la vida se abrirían de par en par. De eso trata El Curso de la Llave de la Vida: eliminar las causas por las que alguien no puede comprender y por las que, a su vez, no puede ser comprendido. En la parte central del curso, se encuentra una visión muy especial del lenguaje, no como un tema difícil de entender que se aborda mediante el estudio académico, sino como un medio viviente y vibrante de comunicación. Precisamente con ese fin, el Curso de la Llave de la Vida, da a la gramática inglesa una nueva forma, alejándola de un conjunto de reglas inútiles y

lenguaje, que lo domina y es experto en su uso. De hecho, aunque técnicamente sea un programa para ayudar a la persona con sus dificultades de estudio, el Curso de la Llave de la Vida, hace que al final nuestro concepto de la alfabetización ascienda a niveles sorprendentes y completamente nuevos.

"Nuestra intención no es sólo rescatar a unos cuantos estudiantes", declaró L. Ronald Hubbard. "Nuestra intención es revertir todo este deterioro". Como veremos, él hablaba absolutamente en serio, y si el deterioro general de la educación del siglo XXI se ha vuelto muy grave en tiempos recientes, la solución de LRH es mucho más eficaz. En las páginas siguientes examinaremos el desarrollo de esas soluciones y su impacto en mayor escala a nivel mundial. También, por supuesto, examinaremos a L. Ronald Hubbard mismo como educador y al mismo tiempo su trayecto hacia lo que acertadamente se ha descrito como una revolución del pensamiento. ■

Guam, 1927, donde L. Ronald Hubbard, a los dieciséis años, se embarcó en una larga y extraordinaria aventura académica

La Educación de un
EDUCADOR

La Educación de un
Educador

EN UN RESUMEN POSTERIOR DE SU EXPERIENCIA EDUCATIVA, L. Ronald Hubbard mencionaba, entre otros detalles de interés, su más antiguo examen de la semántica, su enseñanza a los niños chamorros en la isla de Guam, su temerario enfrentamiento con la represión académica en la Universidad George Washington, y su posterior regreso a esa institución para impartir conferencias sobre literatura popular. También hablaría del adiestramiento de unos quince mil militares en el transcurso de la Segunda Guerra Mundial, su instrucción a muchos miles más de estudiantes de Dianética y Scientology, y en una estimación muy conservadora, sus cientos de miles de horas de investigación de todo el proceso de aprendizaje. Como dijo claramente: "Ha sido un largo camino".

En su debida secuencia, sin embargo, la historia es esta: como hijo de un oficial de la armada de Estados Unidos, la educación de Ronald durante sus primeros años fue un tanto irregular. Entre 1916 y 1929, por ejemplo, había asistido a nada menos que diez colegios diferentes: "Y en este, en el quinto grado, habían estudiado divisiones por varias cifras (que yo no había aprendido todavía) y en aquel otro, en el sexto, habían explicado la multiplicación a nivel avanzado (pero no una división por dos o más cifras)" –se quejaba– "y por ello la escuela me llenó de confusión de manera increíble". No obstante, y como salvación, su madre había asistido a una escuela de magisterio en Nebraska y además estaba más que capacitada para ejercer como profesora particular. Por lo demás, él era un joven sumamente brillante, que ya leía a la edad de tres años y medio y que poco después devoraría estanterías completas de clásicos, incluyendo gran parte de la filosofía occidental, los pilares de la literatura inglesa y, en especial, los ensayos de Sigmund Freud.

En conferencias posteriores sobre el desarrollo de Dianética, Ronald tendría mucho que decir sobre el psicoanálisis: su introducción a esta disciplina (a través, nada menos, de uno de los alumnos del propio Freud), sus experimentos con la técnica psicoanalítica y su posterior rechazo de esta teoría en su totalidad. Sin embargo, había un aspecto de la disciplina especialmente pertinente en este contexto: el énfasis freudiano en la asociación de palabras. Por el momento, Ronald se limitaba a

Un estudiante joven itinerante;
Tacoma, Washington, 1923

plantear la pregunta: "¿Qué podría tener de malo una palabra?". No obstante, con el tiempo acabaría examinando la cuestión desde distintos ángulos y muy especialmente desde lo que describió como: "La influencia que tiene en la vida una palabra que se aprendió mal". Sin embargo, en lo que se refiere a su progreso durante los años veinte, su siguiente paso decisivo se relaciona con la enseñanza de aquellos niños chamorros en la isla de Guam.

Las circunstancias no fueron tan inusuales como pudiera imaginarse. Después de dejar la casa familiar de los Hubbard en Helena, Montana, para reunirse con su padre en la base naval estadounidense de Guam, a sus dieciséis años, Ronald consiguió un puesto, a la mitad del curso escolar, como instructor adjunto de inglés en la escuela para nativos. Las aulas eran rudimentarias; los libros de texto, anticuados; y con relativa frecuencia los alumnos de cinco a diez años, eran indisciplinados. Por ejemplo, una nota en el diario de LRH, referente a esta estancia en la isla, hace mención específica a un acuchillamiento entre estudiantes. El problema primario, sin embargo, era de orden cultural, y desde una perspectiva más amplia, político. Es decir, que a pesar

de las promesas verbales de la marina estadounidense y de cierta labor misionera razonablemente sincera, el estudiante de Guam había recibido de su sistema escolar un trato bastante deficiente. En general, se consideraba que era torpe por naturaleza y que por lo tanto no merecía un intento concertado de educación. De hecho, más allá de las acciones rudimentarias de "letras y sumas", el chamorro típico no podía esperar que se le enseñara algo más que los "momentos culminantes de la historia de Estados Unidos", y así que se le explicara cuál era su lugar dentro del dominio estadounidense; también se le daban charlas esporádicas sobre higiene personal.

Los estudiantes del aula de L. Ronald Hubbard, a pesar de tener una choza de ramas de palma calurosa en extremo, disfrutaban, sin embargo, de un programa de estudios muy diferente. En particular, Ronald pareció hacer hincapié en dos puntos significativos. Primero, quería que sus alumnos apreciaran el mundo que se extendía más allá de sus costas; y en segundo lugar, quería que comprendieran que en el saber se encontraba la clave de su participación en ese mundo. Sucedió que ese mensaje recibió muchas objeciones de las autoridades militares. Pero lo importante aquí —de hecho muy importante— eran los métodos de Ronald.

Él ofrece dos ejemplos. Para transmitir el concepto totalmente ajeno de un rascacielos, cuenta cómo bosquejó chozas de nipa, una encima de la otra, hasta que obtuvo un boceto que se parecía al Edificio Woolworth. Mientras que para comunicar el concepto igualmente ajeno de un ferrocarril, nos cuenta cómo acopló tres o cuatro carretas, una tras de otra, en serie. Si el mensaje parece ser demasiado simple u obvio, la teoría subyacente habría de resultar de vital importancia, y de hecho va directamente al corazón del proceso de aprendizaje: cómo se asimila la información de la mejor manera posible, y qué explica la existencia del estudiante aburrido y exasperado. Inevitablemente, las conclusiones de Hubbard en este caso servirían además para clarificar el problema implícito en su anécdota final del Pacífico Sur: por qué un joven ingeniero naval dedicaría horas a tratar de calcular la capacidad de carga de una barcaza de grava con cálculo avanzado, de manera que que al final, un capataz nativo le dijera: "¿Ves esas marcas blancas de pintura en la parte delantera y posterior de la barcaza? Indican cuánta grava contiene".

Sin embargo, en cualquier caso, fue el corazón del mundo académico estadounidense, y específicamente la Universidad George Washington, el que proporcionó la siguiente lección a Ronald.

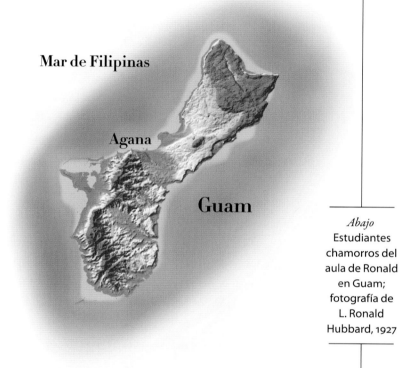

Mar de Filipinas

Agana

Guam

Abajo
Estudiantes chamorros del aula de Ronald en Guam; fotografía de L. Ronald Hubbard, 1927

Se matriculó en otoño de 1930, después de haber terminado, en un período aproximado de nueve meses, unos estudios de enseñanza secundaria que anteriormente había interrumpido. Oficialmente su área de especialización, por insistencia de su padre, era la ingeniería; aunque, de hecho, ya había optado por una carrera literaria y para ese entonces estaba, además, profundamente inmerso en la investigación que habría de culminar en Dianética y Scientology.

Desde el principio, la Universidad George Washington no le causó ninguna impresión. Se oponía a que los instructores se dirigieran a los estudiantes con un "¡Tú!", o de un modo más formal, "¡Oye, tú!". Se oponía a un verdadero

"culto de las matemáticas" dentro de la facultad de ingeniería, y además estaba en contra del énfasis en la forma en logar de en a la funcionalidad. Es más, conforme fue transcurriendo aquel primer semestre y pudo observar ese énfasis más de cerca (Ronald pronto serviría como presidente de su asociación estudianfil de ingenieros), la perspectiva resultó aún más desoladora. Un "mundo en tinieblas", como lo calificara en una carta posterior; y en otro lugar hablaba de un compañero de clase, que había sido expulsado del recinto "piadoso y santificado", por haber publicado un artículo en el periódico de la universidad alegando que las estrellas de fútbol universitario eran profesionales fraudulentos (lo cual era cierto). Sin embargo, al final, y más relacionado con el tema general, acabó concentrándose en el origen filosófico del problema, o lo que por último describiría como el programa de estudios oculto dentro de las aulas del siglo XX.

Las cuestiones son complejas y, de hecho, afectan a la forma completa de la educación moderna según la definen los psicólogos educacionales John Dewey y Edward L. Thorndike. Evidentemente, su propuesta representaba un avance, y comprendía una visión prometedora de la escuela, no simplemente como un lugar de aprendizaje, sino como una institución para la adaptación social... O, como tan rotundamente afirmó el propio Thorndike: "Para controlar la naturaleza humana y transformarla en beneficio del bienestar común". Un punto central de la doctrina era una visión igualmente prometedora de la sociedad como un grupo perfectamente ordenado en el que cada individuo se subordina al conjunto, de acuerdo a sus talentos. Aquellos que creyeran ver paralelismos con el comunismo, o incluso con el socialismo nacional, tenían razón. En el fondo, las raíces son las mismas, es decir, la psicología alemana y en particular Wilhelm Wundt de la escuela de Leipzig. Pero en ambos casos, era una visión limitada, literalmente una visión del ser humano como algo carente de espíritu, suma de sus partes evolutivas. Por lo tanto, como sostenía Dewey, si somos por naturaleza animales sociales, esto se debe natural y simplemente a que nuestros ancestros en la evolución corrieron en manadas. Mientras que, como añadiera Thorndike, si también necesitamos que se nos moldee para alcanzar un estado civilizado, se debe a que no somos en absoluto civilizados por naturaleza... Y ahí estaba el problema, porque repentinamente, y de manera universal, la formación psicológica del niño se consideraba mucho más importante que la enseñanza de cualquier materia tradicional, ya fuera lectura, escritura o aritmética.

Hay mucho más acerca de esta creencia, por supuesto, incluyendo la propuesta de Thorndike de que es mejor no enseñar a los niños a usar herramientas educativas formales antes de los seis años, sino que sólo se les eduque según las prioridades psicológicas, lo que a su vez abrió las puertas incluso a más psicopalabrería sobre incentivos relacionados can el comportamiento, el desarrollo de destrezas sensorio-motoras y el reconocimiento de símbolos. Sin embargo, en el corazón de todo esto había un intrigante modelo proveniente de la escuela conductista y específicamente de la rama de Wundt, la cual fve desarrollada a partir de Pavlov.

Si bien L. Ronald Hubbard nunca adoptó una sola palabra de este modelo, proporciona una explicación de él tan concisa como cualquier otra. Una tarde, siguiendo el rastro de aquella investigación extracurricular que culminaría en Dianética, entró en la facultad de psicología de la Universidad George Washington, en aquel entonces bajo la dirección de un tal Dr. Fred Moss (de mala fama entre los estudiantes por sus preguntas exageradamente capciosas y rebuscadas). Allí Ronald encontró la típica camada de ratas blancas de laboratorio, correteando en un laberinto en busca de

pedazos de queso. Cuando preguntó al respecto, se le proporcionó esa teoría conductista clásica tan plenamente adoptada por la escuela de Dewey-Thorndike (el propio Dewey fue uno de los primeros en realizar, tales experimentos). Es decir, a pesar de nuestra capacidad intelectual humana, aún se nos puede definir en relación con organismos vivos inferiores, a partir de los cuales hemos evolucionado. Por lo tanto, del mismo modo que la rata adolescente recorre mejor su laberinto con la combinación apropiada de premios y castigos, así también lo hace el adolescente humano... Excepto que, claro está, en términos humanos el laberinto se convierte en nuestro sistema educativo y los premios son, por lo general, menos evidentes que bolitas de queso.

Como veremos, esto finalmente resultaría en una gran ironía. Pues al intentar adaptar a un adolescente a una norma psicológicamente aceptable, al gran enjambre, por así decirlo, el psicólogo acabaría consiguiendo justamente lo contrario: la hosca y analfabeta abeja asesina que acecha el recinto escolar en nuestros días. Pero incluso en 1930, esa propuesta de Dewey-Thorndike acarreaba implicaciones inquietantes, de ahí la oposición de LRH a lo que poco después describió como escuelas para la "manada", y estudiantes tipo "archivos animados". Mientras que, llegando todavía más al núcleo de la cuestión, declaraba: "Es espantoso cómo la educación trata de reducir a todos los niños al mismo nivel mental".

Su propia estancia en la universidad terminó en el período académico de la primavera de 1932, cuando el camino de la investigación más importante, que llevaría a Dianética y Scientology, lo llevó a su labor etnológica en el Caribe. No obstante, nunca olvidaría las cuestiones que constituían su preocupación inmediata: aquella visión inquietante de una educación en masa para las necesidades de una sociedad masiva. Tampoco olvidaría jamás lo que representaba la psicología en el aula, en cuanto al declive en los niveles de alfabetización, o lo que posteriormente descubriría cuando se le pidió que regresara a la Universidad George Washington, unos cuatro años después.

Las circunstancias requieren cierta explicación, pero esto es pertinente a la historia más general. Inmediatamente después de su regreso del Caribe en 1933, Ronald emprendió una carrera literaria que se extendería a lo largo de cinco décadas. Sin embargo, el éxito no se haría esperar, y en 1936 se había situado firmemente a la vanguardia de la ficción popular. El principal medio de difusión de su obra fueron los llamados pulps: aquellas revistas de éxito masivo, impresas en papel de pasta de madera (pulp), que a la larga lanzarían a la fama a autores como Dashiel Hammet, Raymond Chandler y a gran amigo de LRH, Robert Heinlein. En otras palabras, cuando L. Ronald Hubbard se presentó frente a la clase de escritura de relatos cortos del profesor Douglas Bement en la Universidad de George Washington, el tema de su presentación fue la ficción profesional. Se presentó en nombre de los cuentos que habían devorado unos treinta millones de lectores y de obras que vivirían por siempre en la literatura de Estados Unidos.

Sin embargo, frente al atril de Douglas Bement, se encontraban unos cincuenta jóvenes de ambos sexos, educados con una visión muy distinta de la literatura estadounidense o al menos con una visión diferente de lo que implicaba escribir una novela estadounidense. Como nota preliminar, Ronald cuenta que descubrió, precisamente sobre el escritorio de Bement, una de sus obras que se había publicado recientemente; aparecían en ella notas relacionadas con "prefiguración" y "caracterización". También se podían ver varias anotaciones que sugerían una escuela nordaz de análisis literario y por tanto, otra infusión más de pensamiento psicológico.

Una vez más, el tema es complejo y afecta a una gran parte de la literatura estadounidense del siglo XX. Pero basta decir que además de la novela psicológica que surgió del pensamiento freudiano, la enseñanza de como escribir también sufrió una infusión psicológica; y al menos en la clase de Douglas Bement, los estudiantes podían hacer

críticas pero realmente no podían escribir o no llegarían a hacerlo.

Esta observación es de lo más relevante. Finalmente, en el transcurso de su charla, Ronald comentaría que un escritor no podía esperar desarrollar un estilo propio habiendo escrito menos de cien mil palabras, es decir, una novela de tamaño considerable o una colección de cuentos. Para una clase de estudiantes destinados a graduarse después de sólo diez o quince mil palabras en su haber literario, la cifra resultó impactante. Ronald describió esto como un verdadero alboroto, e hizo mención de las quejas que de hecho fueron presentadas al decano. Pero su argumento fue bien recibido, porque de la

facultad de composición literaria de la Universidad George Washington no habían estado saliendo escritores profesionales. Y tampoco de Harvard, como Ronald descubrió cuando impartió conferencias en Massachusetts, y de hecho, no podía nombrar a un solo colega en diversos círculos profesionales que se considerara producto de una universidad.

Finalmente, daría el nombre de "graduado incompetente" a los estudiantes universitarios mal preparados, y poco después haría un estudio definido del tema. Pero primero tuvo que hacer frente a un asunto de mayor urgencia: la instrucción de personal militar durante la Segunda Guerra Mundial. Estos fueron los detalles: después de un prolongado servicio en el Atlántico y en el Pacífico a bordo de buques antisubmarinos y en un transporte de tropas de asalto, el teniente de navío L. Ronald Hubbard se incorporó a su destino en la escuela del Centro de Adiestramiento para Pequeñas Embarcaciones, en San Pedro, California. Sus funciones incluían la instrucción directa de capitanes y tripulaciones, así como la nueva redacción de materiales de instrucción para unas quince mil personas más. Como cabría imaginar, los temas eran bastante técnicos: navegación, defensa submarina y asalto en aguas poco profundas. Pero en cualquier caso, los métodos de Ronald eran enteramente universales y de hecho anticipaban descubrimientos posteriores de gran importancia.

Por ejemplo, en una nota preliminar a su texto sobre navegación, recomendaba: "Ocúpate de las siguientes definiciones (por ejemplo, *navegación a estima, latitud* y *cronómetro*). Hay que aprenderlas bien. Dejar las definiciones sin aprender, da como resultado una incapacidad posterior para comprender las explicaciones que contienen esas definiciones. Sin duda, el factor más importante en cualquier tipo de estudio es la comprensión del significado de ciertas palabras".

Una vez más, si la declaración parece demasiado simple o evidente, no lo es. Como consecuencia del principio Dewey-Thorndike, y particularmente durante los últimos años de la década de 1940, los educadores occidentales iniciaron un enérgico

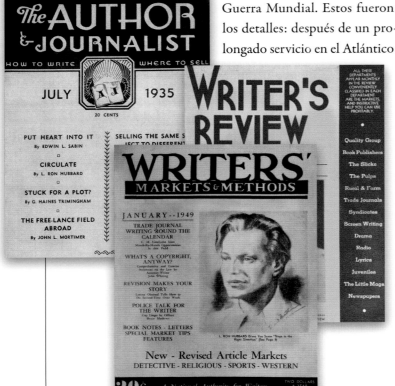

debate sobre cuestiones tales como la capacidad del niño para distinguir entre el ego y el alter-ego y cómo hacer que el plan de estudios correspondiera al desarrollo sexual. A principios de los años cincuenta, la educación en sí se había convertido en un término muy impreciso, y por lo general se tendía a considerar que resultaba mejor describirla como "adaptación a la vida". Incluso cuando el péndulo por fin osciló nuevamente hacia un programa académico más práctico, durante el auge científico de la Guerra Fría, la orientación aún se mantenía en dirección a la psicología (y de hecho, fue el destacado psicólogo de la educación Jerome Bruner, quien princi-

palmente proporcionó los medios para ello). Como consecuencia, se generó un debate todavía más complicado en torno a la escuela, considerándola "la vida misma y no meramente una preparación para la vida", por citar al propio Bruner, o como fuente de talento para el complejo de la industria armamentista estadounidense. Sin embango, como Ronald reiteraba a menudo, nadie se había planteado la pregunta sobre *cómo* se educa a una persona,

empezando por temas tan fundamentales como la comprensión de las palabras.

A partir de ese momento, y especialmente después de 1950, cuando la creación de Dianética requirió el entrenamiento en la materia de varios miles de estudiantes, la educación siguió siendo una cuestión de considerable importancia para L. Ronald Hubbard. Pues se preguntaba: ¿Cómo se podría practicar Dianética sin primero haberla estudiado y haberla estudiado bien? A raíz de eso, declaró –y aquí nos aproximamos a la revelación central de Ronald– resultó necesario desarrollar una "tecnología de estudio, o una tecnología de la educación".

A modo de comentario preliminar y de manera vehemente, habló de la educación moderna como una locomotora destinada a transportar el conocimiento de una civilización, de una generación a la siguiente. Desafortunadamente, no obstante, aquellos que habían estado conduciendo ese tren, habían activado la palanca equivocada... Y por lo tanto, como concluyó lisa y llanamente: "El *Twentieth Century Limited,* se descarriló". ■

"Estimado Decano Wilbur"

A pesar de desacuerdos fundamentales sobre la actividad docente en la Universidad George Washington, Ronald siempre reconoció que William Allen Wilbur era un extraordinario "rayo de luz". A partir de 1931, fue algo como una institución; generaciones enteras de jóvenes recordaban la figura ligeramente encorvada de Wilbur en la antigua capilla donde reunía a sus alumnos de primer año para su clase de retórica. Los más sensibles entre ellos recordaban además su perdurable afecto por Robert Browning y sus teorías originales sobre Shakespeare, pues al parecer consideraba La Tempestad como una disertación metafísica codificada. Como se menciona a continuación, el increíblemente excéntrico Dean Wilbur también fue recordado por su perenne desafío de lograr que los estudiantes compusieran una sola oración de trescientas palabras... A lo que Ronald respondió: "Bueno, escribí una oración de quinientas palabras que simplemente decía esto: Que a un hombre no se le permitía pensar en el mundo occidental y que esto inhibiría que surgiera una cultura a partir de las universidades. Y cuando uno se alarga tanto utilizando sólo una 'y' y sólo un 'pero' y ningún punto y coma, empieza a adquirir una velocidad considerable". También le causó al L. Ronald Hubbard problemas considerables cuando tenía veinte años; y de hecho, acabaron informándole "que si no escribía sobre un tema totalmente distinto expresando sentimientos diferentes, sería expulsado de la universidad... ¡lo que demuestra la validez de mi argumento!".

Pero él no culparía al Decano Wilbur.

Fechada en la primavera de 1936, cuando su estrella ascendente dentro del mundo de la ficción estadounidense le llevó de vuelta a la Universidad George Washington para impartir conferencias en la clase de escritura de Douglas Bement, la carta de Ronald al decano es un tributo tan emotivo como pudiese esperar cualquier educador. También se presenta la conmovedora respuesta del decano, admitiendo sutilmente los fracasos de la educación reglamentada. ∎

Decano William Allen Wilbur
UNIVERSIDAD GEORGE WASHINGTON
Washington, D.C.

Estimado Decano Wilbur:

Estuve una vez más en la Universidad George Washington por unas horas, para dar una charla en la clase de escritura de relatos cortos de Douglas Bement. En aquel momento tenía ilusión de a verlo a usted de nuevo, pero se me informó, para mi decepción, que ha dejado la universidad, y le aseguro que eso representa una pérdida para la escuela. No obstante, supongo que está disfrutando de sus barcos y de un bien merecido descanso.

Es posible que no pueda usted recordar mi nombre de entre las decenas de miles de nombres que han pasado por sus listas de alumnos. Tal vez pueda acordarse mejor de mí, por algo que hice que fue más bien preocupante para usted, un hecho que es triste que se recuerde ahora. Una vez le entregué un tema en el semestre (probablemente en 1931) que era una sola oración de quinientas palabras de longitud. Al recibirla en clase, usted mencionó mi nombre y me pidió que lo viera después de clase. Recuerdo que usted estaba bastante impactado porque alguien hubiera tenido el atrevimiento de entregarle una crítica de la educación en masa, bajo la apariencia de un ensayo para la clase de la lengua inglesa. Fue, desde luego, bastante amargo y, en cierto modo, me he sentido mal por haberle causado preocupación. Pero aunque me disculpé en aquella ocasión, me temo que la disculpa fue más por respeto hacia usted que por un repudio a mis ideas. Y para completar el cuadro, soy alto y pelirrojo.

Espero que eso me traiga a su memoria. Sólo lo menciono con ese fin. La verdadera razón por la que le escribo es algo abstracta. Desde entonces yo mismo he enseñado un poco y sé que ningún contacto humano es satisfactoriamente definitivo, a menos que sepamos que el hombre o bien se ha ido a la ruina o ha triunfado, y quizás sea una pequeña satisfacción para un maestro el saber que sus enseñanzas han servido de ayuda.

Se suponía que la escuela de ingeniería iba a ser mi catapulta a la fama y la fortuna. Mi padre había querido que yo fuera ingeniero. Mi madre pensaba que era una profesión sólida, aunque ambos en distintas ocasiones han escrito y vendido artículos periodísticos.

Yo me dediqué a la ingeniería durante dos años y las puertas de la universidad no se me han vuelto a cerrar.

Mi profesión, como yo sabía que iba a ser desde un principio, es la de escritor. Actualmente escribo novelas de ficción popular, que no es algo vergonzoso o degradante como mucha gente insinúa. Estoy dando lo mejor que hay en mí con el fin de proporcionar entretenimiento y veo que muchísimos grandes escritores, primero hicieron su aprendizaje a base de historias dramáticas exageradas. Es toda una experiencia ser un pez gordo, ganar buenas cantidades de dinero, poder llevar un horario propio y cambiar de sitio cuando el panorama se vuelve monótono, poder utilizar una caja de embalaje en Nicaragua o un escritorio de caoba en Nueva York, según apetezca. Estoy satisfecho conmigo mismo porque acabo de empezar y soy lo suficientemente vanidoso para decir que escribo para las mejores publicaciones de ficción popular: (ADVENTURE, DETECTIVE FICTION WEEKLY) y también para las peores.

Cuando escribí aquel tema para usted (cómo me gustaría tenerlo ahora), no me refería a la clase de retórica sino al resto de la universidad. Fuera de usted, no había nadie allí que tuviera nada que decir más que cosas áridas sacadas de los libros de texto. Para mí aquello no era educación. Yo tal vez ansiaba el contacto con la cultura, o acaso quería una oportunidad para pensar. Usted era la única persona en aquel lugar que le permitía a uno pensar. Entrar en sus clases o acompañarlo de regreso a su oficina después de una clase, era como salir de una prensa hidráulica y ver un día de primavera. Usted quería que el alumno dedujera y pensara por cuenta propia y respetaba a sus alumnos. Usted era un rayo de luz en un mundo en tinieblas.

Esto no es adulación, sino algo que sinceramente había querido decirle desde hace tiempo. Cuando pregunté por usted hace aproximadamente un año, presencié una escena que no olvidaré en toda mi vida. Sentí como si me hubieran mostrado algo horripilante cuando señalaron el montón de libros sobre el escritorio del profesor Como-se-llame. Eran libros voluminosos y complicados, capaces de romperle el brazo a cualquier estudiante, eran de color azul y marrón, y todos ellos contenían miles de páginas rígidas como cuellos almidonados, inmensamente respetables y por completo inútiles. Estos eran los libros, se me informó, que estaban empleando *ahora*. Estos eran libros que habían sustituido a aquel pequeño y digno manual de retórica que de algún modo me hacía recordar a un hombre menudo muy erudito a quien le gustaban las rarezas, la solemnidad y tenía una enorme generosidad. Noté que empleaban libro*s*, no sólo un libro.

De alguna manera –y soy bastante inmutable– quería quitarme el sombrero como si estuviera delante de un féretro en el que yacía un amigo íntimo. Libros, eso es todo lo que eran. Nada más que libros. Estaban ordenados y uniformados y eran tan imperiosos y pomposos como generales que rugen y vociferan violentamente y nunca dicen nada.

Todo esto, desde luego, me señala como un rebelde, pero a mí me tienen sin cuidado los sellos oficiales. Existía un último vínculo entre la educación cultural y la estrictamente reglamentada, que había sobrevivido a la producción en cadena de nontaje estadounidense, y ese vínculo era usted. Y ahora se ha roto la cadena y el recinto universitario bien podría zumbar con el ruido de tornos y telares, pero toda la personalidad individual que poseía se ha ido con usted.

Tal vez yo debería haber nacido en Inglaterra, pues le exigiría a mi escuela algo más que una conjugación latina y una fórmula de cálculo. Tal vez yo esperaba más de lo que debiera. Tal vez yo había madurado demasiado pronto, pero todavía deseaba que la universidad fuera lo que su nombre indica.

Los demás me dijeron (pero usted nunca lo hizo) que yo no me estaba esforzando lo suficiente, que faltaba a clase y era perezoso, que tenía que alcanzar notas más altas para ponerme a la altura de una prueba de inteligencia diseñada por una máquina, lo que daba a entender que yo era brillante sólo porque había viajado por todo el mundo y había adquirido conocimientos generales desde la niñez. Me dijeron que nunca llegaría a nada, que no era un hombre estudioso. Pero usted nunca me dijo eso. Usted estaba perfectamente dispuesto a conversar sobre todo tipo de cosas, y yo le estaba agradecido, aunque lo más probable es que usted lo haya olvidado.

Ahora, cuatro años después de haber abandonado el lugar, descubro que después de todo yo era un alumno, que soy un estudiante, que tengo un interés agudo y devorador por las matemáticas –quién iba a decirlo–, por la historia, la economía y la política. Estoy estudiando porque por primera vez en mi vida, me han dejado en paz. He escrito varios artículos de calidad (para revistas artísticas y literarias) los cuales satisfacen a la mente pero, desgraciadamente, no al estómago, sobre materias por las cuales se concede crédito académico.

Pero dudo mucho que hubiera seguido adelante si no hubiera sido por su tratado muy sensato sobre el mundo en general, que usted titulaba "retórica" y que no era nada más que cultura, un tratado tan único y aislado en un ambiente estrictamente reglamentado como una delgada columna de humo de un barco de vapor recortándose en el horizonte.

Espero que nada de eso le haga sentirse mal. No es mi intención. Sentí todo esto hace mucho tiempo, pero entonces yo era un estudiante. Ahora soy un escritor profesional. Me he ganado algo difícil de conseguir, el permiso de pensar y actuar por mi cuenta.

Hace alrededor de un año, como ya mencioné, me senté detrás del escritorio de Douglas Bement –no hacía mucho miraba ese mismo escritorio desde el otro lado– y hablé con sus alumnos sobre esta profesión de escritor. Muchos de esos estudiantes asistían a clase cuando yo también era alumno. Conocía a muchos de ellos por su nombre. Les hablé de la profesión de escritor, no del arte, y los dejé sintiéndose un tanto fríos. Ningún argumento apasionado podía persuadirlos para que abandonaran una conclusión hecha de antemano, referente al mundo exterior. Se les estaba enseñando –y Bement es un buen maestro– cómo escribir lo que pensaban. Eso era suficiente. Yo estaba allí, según les dije, porque dos días antes Bement había hecho varias declaraciones erróneas en la radio sobre esta profesión de escritor. Traté de asegurarles que afuera en el mundo podían vender su mercancía y zafarse de la fealdad de los escritorios y de relojes de control de asistencia, que podían ganarse un buen sueldo con una pluma si es que la tenían. A mí nadie me dijo eso jamás. Tuve que descubrirlo mediante dura experiencia. Pero ellos no querían algo tan mundano. Ellos querían atiborrarse de datos. No les hablé con frases temáticas ni esquemas generales, les hablé porque sabía a lo que pronto habrían de enfrentarse. No sirvió de nada. No podía sacudirlos de una apatía mental que era tan pegajosa como el pegamento. En realidad no querían pensar, y ni siquiera discutían cuando los incitaba a hacerlo.

Supongo que esto es lo que llamamos educación en masa. Mentes paralizadas, cargadas de datos. Tal vez algunos de nosotros deberíamos estar agradecidos por ello porque es

LRH como miembro de la asociación estudiantil de ingenieros de la Universidad George Washington, 1931; en la fila de en medio, segundo de derecha a izquierda

nuestra propia salvación. Pero no podía dejar de sentir tristeza por ello. No se les estaba enseñando a pensar o estudiar, se les enseñaba a devorar datos, sin importar lo inconexos, obtusos o inútiles que fueran.

Y despuntando de ese inmenso velo de tinieblas, siempre había existido un brote de luz, pero ya se había ido. Me fui de la universidad esa noche sintiéndome melancólico. Tenían un montón de libros apilados sobre un escritorio y los miraban con orgullo y decían: "¿Retórica? Hemos cambiado eso. Tenemos tantos estudiantes (unidades como las de 100 cm cúbicos de agua) por clase y tantas clases por cada profesor y...". Pelotón a la derecha, columna a la izquierda y al diablo con el asunto, tenemos demasiada gente que educar.

La definición que usted tenía de los profesores permanecerá siempre en mi mente como algo hermoso y casi tan raro de encontrar como el radio. Es necesario ser un genio para enseñar. Y usted es ese genio. De su clase de retórica, que era tan concurrida, han salido hombres con quienes me encontré después, hombres que piensan. No importa que aquellas cosas cayeran en un inmenso terreno estéril. Eso era inevitable y nunca se podrá evitar. Hay muchos de nosotros, que deambulamos por el mundo, que lo recordamos y veneramos. Les he oído decirlo.

No permita que esto le trastorne de ningún modo. Atribúyalo a que soy un rebelde, un inconformista, lo que sea. Uno de estos días voy a escribir esto en un libro, y su texto de retórica, muy estropeado a estas alturas, estará abierto junto a mí sobre el escritorio, cuando lo escriba.

Quizá sea peligroso tener semejantes pensamientos a los veinticinco años, tal vez sería preferible dejar estos asuntos para mentes más reglamentadas que la mía.

De todos modos y por lo que sea... Esta carta la escribí esta mañana, con la esperanza de que estuviera usted bien y diciéndole que me ayudó en más de una forma... y aquí lo tiene, un ensayo feroz sobre la educación, y estoy seguro de que de eso usted ya ha tenido suficiente.

De todas formas, aquí están mis mejores deseos para el mejor hombre que haya conocido jamás.

Saludos cordiales,
L. Ronald Hubbard

THE GEORGE WASHINGTON UNIVERSITY
WASHINGTON, D. C.

331 Johnson Court. So.
San Petersburgo. Florida.

9 de abril de 1936

Sr. L. Ronald Hubbard
40 King St., Ciudad de Nueva York

Estimado señor Hubbard:

La Universidad me entregó tu carta del 16 de marzo y tengo que darte las gracias por ello más de lo que soy capaz de expresar. La tengo aquí enfrente y siempre la miraré con alegría. El ámbito de esta amistad es de una profundidad tranquila que a menudo no encuentra expresión. Cuando lo hace, libra de la soledad y promueve la eternidad en el corazón. Una exhortación del apóstol Pablo se relaciona con esta expresión: "Estudia para quedarte en silencio".

Me retiré del servicio activo de la Universidad en la ceremonia de graduación de junio de 1935, debido al límite de edad de setenta años. Me llegó muy pronto, como una sacudida, ya que los años habían transcurrido felizmente como si el final no fuera a llegar nunca. Y las relaciones con la juventud y con el éxito de un buen idioma inglés no tienen limitaciones. Después de repente una frase familiar brota irrevocable: "Como una historia que se cuenta".

La Universidad ha sido muy generosa conmigo, un doctorado *honoris causa*, profesor emérito e historiador para escribir la historia de la Universidad.

El compañerismo en la enseñanza es primordial en la vida de un profesor y hecho de menos este compañerismo.

Gracias por todo lo que me escribes de ti mismo, empezando con la oración de quinientas palabras y lo que dices de tu trabajo como escritor profesional en el campo de la aventura y la ficción de detectives. Este es un campo en el cual siempre he buscado la buena lectura y la he encontrado. Desde ahora puedes contar con que voy a estar pendiente de tus historias.

He sido muy feliz con mis amigos y me encantaría incluirte entre ellos, y espero verte otra vez. Aprecio lo que me dices sobre mi retórica. Cuando mi salud decayó hace un año (tengo buena salud ahora) tuve que dejar todo mi trabajo, y los de la facultad de literatura dejaron de usar la retórica. Era mi propia teoría y desde un principio sentí que nadie más la utilizaría. Pero el experimentarlo no fue fácil para mí. Como puedes ver, tu bondad significa mucho para mí: "La delgada columna de humo de un barco de vapor recortándose en el amplio cielo azul".

Estoy contento de lo que me escribes sobre tu carrera profesional. Siempre pensaré en ti con afecto y te deseo todo lo mejor. Mi hogar estará en Washington y mi dirección será esta Universidad. Espero volverte a ver.

Atentamente,
Wm. A. Wilbur

Entre las primeras obras de LRH sobre el aprendizaje en el siglo XX, encontramos *"Educación"*. Se extrajo de un manuscrito más amplio de 1938 que se titula *"Excalibur"*, en el que Ronald exploró por primera vez ciertas verdades cruciales que son inherentes al desarrollo posterior de Dianética y Scientology. *"Educación"* refleja aquellas mismas verdades universales, y hace mucho para iluminar la perspectiva académica de Ronald.

EDUCACIÓN

de L. Ronald Hubbard

EN NUESTRAS ESCUELAS YA no tenemos la norma de la palmeta, que yo sepa. Tenemos gran cantidad de trabajo excesivo en muchas de ellas, y también una gran cantidad de lastres en lo que se refiere a materias inútiles.

Pero aquí y en este momento permítanme decir que un hombre que ha tenido una vida escolar desdichada nunca será capaz de encontrar la felicidad, a menos que pueda "llegar" a una eminencia tal que produce vértigo de sólo pensar en ella.

La forma en que la educación trata de reducir a todos los niños al mismo nivel mental es espantosa. Existen tantos grados y tipos de inteligencia como existen niños.

Lo más cruel, inútil y abominable que se haya inventado alguna vez, fueron los exámenes para todo el grupo. Aquí es donde la clase aprende el desamparo individual. El "niño brillante" no siempre es brillante. Él ha tenido una oportunidad porque en su hogar hay seguridad y su único temor en la vida es que tal vez no llegará a ser ingeniero.

Un niño así siempre es fastidioso. Una niña así siempre es un tanto presumida.

¿Por qué?

Porque en el examen escrito ese niño o esa niña demuestran que tienen más "inteligencia" que el resto de la clase.

La "sociedad" funciona para estos niños y niñas. Su capacidad mental es de nivel medio, su vida familiar es buena. Tienen ropa que es suficientemente buena y una apariencia física que es suficientemente buena.

Si se les somete a una verdadera prueba, con frecuencia resulta que carecen de imaginación, pero tienen lo que podríamos llamar una excelente memoria.

Su característica principal (y aquí casi podemos generalizar al respecto) es que tienen absoluta confianza en su maestro. Sus hogares están bien administrados y en ellos nunca se sienten entorpecidos por una sensación de inseguridad.

La escuela pone un sello en sus diplomas y el mundo da por hecho que son el *número uno*, y por esa razón el muchacho consigue un trabajo.

Le dicen que vaya al muelle y vea cuánta grava hay en la barcaza. Seis horas después su jefe viene a ver por qué tarda tanto y ahí está el muchacho sentado en una bita rodeado de papeles, trabajando como loco con su regla de cálculo, tratando de calcular la curva que determina la cantidad de grava y...

Su jefe lo hace en cinco segundos. Con desdén le señala el calado de la barcaza y el problema está resuelto.

La frecuencia de esto desconcierta tanto a los ingenieros experimentados que actualmente se tiene la no muy saludable idea de que "¡los universitarios son estúpidos!".

Naturalmente, a este muchacho le puede ir bien en la vida por el hecho de tener un buen cerebro, y demasiado tarde empieza a utilizar sus archivos de memoria que estaban apilados y sin correlación. Cuando ve una curva, le viene un diluvio de fórmulas sobre curvas y nada más.

Dicen que no tiene imaginación. Y es cierto. Ha tenido más información que problemas, y todas esas cosas que aparecen en los libros *no* son problemas.

"Bien", dijo el profesor con exultación, "¡al final tenemos la mente perfecta!".

No es así. Lo que estoy tratando de decir es que memorizar una montaña de hechos no es educación, nunca lo será, y a menos que se abandone esta práctica y la de los exámenes en grupo, seguiremos causando estragos y forzando a nuestros genios al aislamiento donde a veces encuentran la felicidad pero donde con mayor frecuencia se vuelan la tapa de los sesos.

Habría sido posible lograr que este muchacho estuviera al nivel de cualquier ingeniero de alto rango o lo que sea, el día de su graduación, simplemente olvidando esta tontería de acumular, acumular y acumular hechos, hechos, hechos, sin jamás tratar de relacionarlos entre sí.

¿Cómo puede un hombre desarrollar sus facultades si todos los datos parecen ser datos iguales? Por consiguiente, cuando él piensa en una vaca, diez textos de biología y seis textos sobre animales de granja lo inundan y lo ahogan al instante.

Cuando lo único que quería saber era cómo guiar a una vaca.

Por eso el sistema de exámenes es doblemente malo. Una persona debe memorizar y tragarse todo lo que sus libros y profesores le digan, sin jamás cuestionar nada si quiere obtener una calificación alta. Si se le permite cuestionar, llegará a media docena de conclusiones, una de las cuales no es muy saludable: el profesor es un tonto. Pero esto es duro para los profesores porque ellos no son tontos, son personas con excelente preparación sometidas por un sistema que resulta del clamor popular de que mamá y papá quieren saber lo que Juanito hace en la escuela.

Eso depende del profesor y depende de Juanito.

De hecho, es terrible contemplar la actitud general de los estudiantes hacia los profesores, y es más terrible escuchar lo que dicen de ellos. Toda la amargura de los muchachos que en verdad son inteligentes va directamente dirigida al profesor, quien a su vez, sólo es la víctima de la educación en masa.

Un profesor universitario tiene que heredar todos los errores, y merece algo mejor que eso.

Existe un sistema en funcionamiento, que es peor que el sistema universitario, el cual se podría modificar considerablemente si se modifican los fundamentos, pero puede hacer muy poco hasta que esos fundamentos *se* modifiquen.

Las escuelas de la YMCA [Young Men's Christian Association (Asociación Cristiana de Jóvenes)] en todo el país merecen mucho más reconocimiento del que reciben. Son escuelas pequeñas, es cierto, pero son numerosas. Se rehabilita la vida de los jóvenes, no por ningún "cristianismo", sino por el tipo de maestro que parece sentirse atraído a estas escuelas. Hacen que el joven empiece en el nivel más bajo y lo lanzan hasta la cumbre con tal rapidez que nunca entiende por completo el hecho de que tiene que estudiar. Y sabe más cuando termina la secundaria en la YMCA que lo que habría sabido si hubiera hecho la primaria, la secundaria y la licenciatura en cualquier otro lugar que yo conozca.

Existe una razón para esto que es muy extraña y, a primera vista, no parece tener sentido. En realidad esto se ha considerado reprensible respecto a estas escuelas de la YMCA y ha impedido que a algunas de ellas se les otorguen sus credenciales con rapidez.

No le "enseñan" tanto al muchacho.

Eso es todo.

Pasa a toda velocidad por la aritmética y llega a la geometría del espacio con tal falta de profundidad que afligiría a cualquier

> *"Depositamos en cada hombre la totalidad de nuestros conocimientos y de nuestra capacidad de pensar".*

educador. Pero cuando el muchacho llega al nivel más alto, recuerda una juventud dichosa; y cuando al final sale de la escuela, sabe mucho más de las materias que un hombre que tuvo que afanarse estudiando un volumen de información veinte veces mayor.

Esto es educación verdadera. Hablamos mucho sobre la "educación" y es, en sí, un término general tan criminal, que soy partidario de que se descarte por completo y se substituya por "percepción".

Los ingleses tienen una buena oportunidad de deshacerse del trabajo concienzudo de las escuelas públicas en Oxford y otras universidades, ya que, aunque parezca extraño, no tienen que estudiar tanta zoología, por ejemplo, como sus colegas en Estados Unidos.

Creemos que cuantos más datos enseñemos tanto más va a "aprender" un niño. Eso es cierto... en el examen escrito. Pero el niño que no puede ver seguridad en los datos no será capaz de repetirlos como un loro y en consecuencia se le considera "tonto" cuando, de hecho, es un genio en ciernes.

Esta es la respuesta al bien conocido enigma sobre el muchacho brillante y el hombre que dejó la universidad cuando apenas la había comenzado. Por lo general, este último acaba siendo jefe del otro. Si la escuela es el propósito final, sólo es el final de la felicidad de quien repite como un loro. Todo será perplejidad de ahí en adelante y su mente es penosamente inadecuada para la vida.

Existe una respuesta, y esa respuesta debe aplicarse si no queremos seguir educando y después llevarnos las manos a la cabeza al ver a quienes han recibido una educación.

El chico que me detuvo un día y me preguntó qué clases debería tomar, sabía que yo desconocía su futuro tanto como él. Ahora está en Luzón como superintendente de una mina, pero lo extraño es que nunca estudió minería en ninguna parte. Sólo al abandonar por completo la especialidad que había estudiado pudo encontrar la felicidad; estudió artillería en la Academia Naval y arte en la universidad.

El mejor texto de matemáticas que jamás se haya escrito no es más grande que la palma de la mano. El inglés S.P. Thompson sufrió tanto en su clase de cálculo que dio al mundo una pequeña joya de incalculable valor titulada *Calculus Made Easy (Cálculo Fácil)*. Cualquier profesor te dirá, como Thompson bien lo sabía, que es un "libro pésimo". Sin embargo, gracias a él muchos han aprendido cálculo a toda velocidad, personas que de otra manera, habrían sido difamadas y se habrían sentido indefensos por haber fracasado en sus cursos.

Siempre me asombra la incapacidad de los estudiantes estadounidenses para hablar español. En Europa no es tan difícil para los niños hablar tres o cuatro idiomas casi a la perfección.

"*Creemos que cuantos más datos enseñemos tanto más va a 'aprender' un niño. Eso es cierto... en el examen escrito. Pero el niño que no puede ver seguridad en los datos no será capaz de repetirlos como un loro y en consecuencia se le considera 'tonto' cuando, de hecho, es un genio en ciernes*".

Si nos tomamos cuatro meses para enseñar la geometría del primer mes, y luego otros cuatro meses para enseñar la geometría del segundo y del tercer mes, tendríamos estudiantes que sabrían geometría para siempre... y sería para siempre, hasta la muerte.

No es mi propósito criticar. No estoy ni difamando ni rogando. Decirle a un profesor que debería hacerse algo es como decirle a cualquier persona que no es capaz de hacer las cosas bien. Pero esto debe descartarse ya que por mucho tiempo ha obstaculizado el "progreso" que tanto nos agrada.

El profesor no puede evitar hacer lo que hace pues se le ha transmitido un sistema que se basa en un "precedente". El precedente, en sí, implica una falta de habilidad para idear un nuevo curso.

Depositamos en cada hombre la totalidad de nuestros conocimientos y de nuestra capacidad de pensar. Esto debería ser algún tipo de ley, ya que resolvería innumerables males en cualquier tipo de actividad. Debería estar escrito que cada persona debe ante todo averiguar con exactitud las habilidades de su estudiante u obrero y después hacerlo trabajar de acuerdo a ellas. Este debería ser el objetivo de la industria, e incluye enseñar al encargado a conocer la capacidad de sus hombres, o al dueño de la fábrica a conocer la capacidad mental del encargado.

Hemos olvidado esto en nuestras enseñanzas y es algo que debería recordarse.

Los profesores saben tanto que olvidan lo poco que saben los demás. Por eso, aquí tenemos un plan factible para adquirir mejores conocimientos.

Una niña muy pequeña ve algo y lo observa con curiosidad. Luego le pregunta a mamá qué es. Ella le dice que es una estufa y que quema a las niñitas. Tres días después la niña se quema.

La niñita escucha cómo su mamá le enseña a decir "mamá" y ella sólo balbucea. Pero la mamá tiene un dulce y dice "mamá", la niña grita "¡mamá!" y a partir de entonces piensa que "mamá" es una palabra muy bonita.

Después de que el niño dice: "Mi no tieno, papá",

"Ya soy mu gande, papá", y

"Era gandote, papá": empieza a conocer el idioma.

¿No es cierto?

Después se deja arrastrar por los "no tieno", dice "mí" en lugar de "yo" y pronuncia todo mal hasta que tiene casi diez años, y la escuela empieza a corregirlo poco a poco.

El niño llega a los cinco años, empieza a leer cuentos de hadas y anda por el bosque en busca de una ninfa que brote súbitamente de un árbol con una bolsa llena de oro que nunca, nunca se va a acabar, sin importar cuánto se saque de ella.

Estos tres casos deberían proporcionar una idea de la solución. En el primer caso, es imposible *decirle* algo a alguien imponiéndolo mediante el miedo o con el ejemplo. El empleo del miedo es la regla de la palmeta, ¡pero cuán cruel e innecesaria! No hay razón para causar dolor con el fin de enseñar. No hay razón para decir: "Si no aprendes esto, nunca valdrás nada". Eso es miedo. También está mal decir: "Si aprendes esto vas a ser listo".

Cada una de estas frases representa un tipo de miedo, y el último es una afirmación de que el niño no es listo.

Si mamá hubiera llevado a la niñita junto a la estufa con suavidad y le hubiera dicho: "¡Mira, tiene fuego! ¡Mira lo caliente que está! Te dará calor". La niña cree que el fuego es bonito, lo admira y tal vez trate de acercarse a él. Pero al estar muy cerca se da cuenta de que está *caliente*. Se aleja con una sonrisita tonta y dice: "caliente", y se consiguió lo que se buscaba.

Al enseñar un idioma, la regla invariablemente es la misma. Uno aprende una conjugación y media docena de palabras, y de pronto, hay un libro impreso en ese idioma, y allá vamos con nuestras traducciones literales de mala calidad y nuestros garabatos sobre el texto. ¡Qué pérdida de tiempo para el profesor y para el estudiante!

Es mejor usar otro método completamente distinto. En primer lugar existen novelas muy bonitas sobre viajes. Por ejemplo, los países de América del Sur son de los más bellos del mundo. Al sur de Estados Unidos tenemos un verdadero paraíso, y cuando los estadounidenses van allá, son unos torpes en lo relativo al idioma.

Cuatro años de estudios preuniversitarios o universitarios de español en la universidad, no tienen tanto valor como un mes en México.

La pesadilla de las conjugaciones debería sepultarse, si queremos aprender idiomas. Conjugar correctamente es muy bonito y muy preciso, pero no sirve para nada cuando uno está en necesidad de dinero y tratando de encontrar las palabras para decirle al tendero que quiere barrerle la tienda a cambio de comida. Por lo general creerá que estás tratando de comprar un mazo de polo.

"Mientras los niños y los jóvenes disfruten de sus estudios continuarán estudiando a lo largo de su vida, y de eso depende su felicidad".

Lo he puesto a prueba. Un niño estadounidense se hizo amigo de un niño español y más o menos en una semana aprendió cien o más palabras en español. De pronto su madre supuso que su hijo quería aprender español y lo mandó con un doctor que hablaba bien el español. Resultado: la ruina total de un futuro bilingüe sólo porque el doctor dijo: "Esto es *amar*. Decimos amo, amas, ama...".

Artillería mortal para matar la ambición.

No es difícil aprender un vocabulario de quinientas palabras cuando no se tienen obstáculos que te convenzan de que hablar un idioma extranjero es difícil.

Me gustaría ver el resultado si alguna escuela enseñara un vocabulario así a sus estudiantes diciéndoles: "Esto es español. Nadie más en la escuela excepto ustedes sabrá lo que dicen si hablan en español".

Las películas en español con subtítulos en inglés y diálogos sencillos enseñan más español en una hora que un libro de texto en un año.

La clase de historia no debe convertirse en repetir como un loro las fechas, ya que las fechas no son nada y se olvidan con facilidad. En lugar de eso, hay que abordar períodos de la historia y hacerlos atractivos a la mente con una presentación de ropa, deportes, niños, reyes, soldados, políticos, marineros, barcos, perros y en pocas palabras, la historia de la *gente,* no de los sucesos. A los niños sólo les interesan las personas, los niños, eso es todo. Una fecha es una fecha.

Se necesita una imaginación brillante para ser maestro, se necesita un poder de razonamiento brillante para ser feliz en este mundo. Si a todos los niños se les enseñara a *razonar* cuando aprenden algunos hechos, tendrían lo que la naturaleza quiso que tuvieran, un mejor castillo para su defensa.

En lo relativo a otras materias, cuanto menos se enseñe, tanto más se podrá relacionar. Por ejemplo, en literatura inglesa, no le pidas al niño que te diga lo que Tennyson quiso decir. Nadie en el mundo ha descubierto lo que Tennyson quiso decir, y mucho menos Tennyson. Pero esos conmovedores cuentos lograron su objetivo. La métrica de su poesía fluye como música, y bellas damas y alegres caballeros danzan o se lanzan al ataque a través de sus versos. Un bruto como Lancelot es suficiente, sin tener que preguntarse lo que Tennyson quiso decir.

Es literatura inglesa, y no hay forma más segura para alejar a los estudiantes de la literatura que venerarla y exagerar diciendo lo grandiosa que fue. Lo peor de Charles Dickens es *Historia de Dos Ciudades.* Dickens de hecho escribió algunas historias buenas como *Barnaby Rudge.* Es suficiente para que cualquiera se ponga de pie y aplauda. Pero la presentó como un verdadero escritor profesional. Al escribir ficción, lo hizo para divertir y por casualidad, reformó el sistema escolar inglés.

No es necesario que toda la clase lea un libro a la vez. Eso disminuye el entusiasmo. Un niño puede dar un informe oral sobre un libro si se le pregunta: "¿Te gustó ese cuento, Juanito?". "Por supuesto. Caramba. ¡Vaya si sabía pelear este tipo!".

Existen revistas para niños y niñas que están diseñadas para ellos y son suficientes para iniciar a un niño en una ruta de lectura. El cine tiene sus puntos buenos, pero son todos puntos de pereza, ya que no estimulan la mente a visualizar. La película lo da todo hecho y no deja nada que razonar.

Y si queremos tener niños brillantes, debemos enseñarles a *pensar.* Todos lo han dicho pero nadie tiene una verdadera respuesta.

La gente ha dicho en muchas ocasiones: "Él nunca aprendió a estudiar", refiriéndose a algún pobre tipo aturdido que no tenía "buena memoria", pero que realmente aprendió a estudiar.

Mientras los niños y los jóvenes disfruten de sus estudios continuarán estudiando a lo largo de su vida, y de eso depende su felicidad.

La habilidad para asociar hechos con el fin de formar una solución depende de los hechos que se posean y de nada más. Aquí no hay ni los huesos de los brujos ni la promoción de algo a bombo y platillo. Es obvio que la mente humana es una máquina que calcula y ningún oficinista es tan tonto como para pensar que su calculadora le dará el total de sus cuentas mensuales si no introduce en la máquina las cifras que hay en sus libros de contabilidad. Esta es una ley inmutable y es bien conocida.

Entonces, permíteme preguntar: ¿cómo es posible que alguien resuelva algo si no tiene, al menos, cierto conocimiento al respecto? ¿Cómo es que un pensador experto puede tomar ciertos fragmentos de algo y deducir la totalidad, cuando hombres que han trabajado como esclavos toda su vida en ese campo no han vislumbrado la verdad? Ese es el caso de un joven experto en maquillaje que fue rechazado por todos los químicos del país, y que al final estudió unas cuantas semanas y fabricó su propio plástico.

Todos se asombran ante esta extraña manifestación. Pero no es extraño, y si queremos que nuestros hijos tengan vidas más felices, debemos enseñarles de tal manera que sean capaces de resolver con prontitud cualquier problema normal. Para lograrlo debemos tener hechos, hechos verdaderos que permanezcan con el niño.

Abrirle a alguien la tapa del cráneo y meterle cuarenta libros para darle a su dueño un diploma y un título, no es educación sino carnicería.

Tenemos bibliotecas y no necesitamos archivos ambulantes.

Es cierto que el muchacho o la muchacha que se gradúa con el primer lugar de su clase, por lo general consigue un excelente trabajo, pero casi siempre se trata de un trabajo para ser un archivero ambulante. Esto no es justo para ellos. Es cierto que sus diplomas y calificaciones fueron un factor importante para elevarlos a una posición tan alta, ya que la "sociedad" valora esas cosas, pero es muy infeliz el padre cuyo hijo de pronto se cansa y se agota bajo el bombardeo de datos, la vergüenza del fracaso y el desprecio de sus mayores. A esto, por lo general se añade la vergüenza y aun la ira de sus padres. ¿Alguna vez habrá existido locura semejante?

"... si queremos que nuestros hijos tengan vidas más felices, debemos enseñarles de tal manera que sean capaces de resolver con prontitud cualquier problema normal. Para lograrlo debemos tener hechos, hechos verdaderos que permanezcan con el niño. Abrirle a alguien la tapa del cráneo y meterle cuarenta libros para darle a su dueño un diploma y un título, no es educación sino carnicería".

En ocasiones un muchacho o una muchacha con gran capacidad de razonamiento y sin mucha preocupación, se eleva a toda velocidad al primer lugar de su clase y obtiene distinciones académicas y logros atléticos, al parecer sin importarle demasiado. Su destino es mucho mejor, pero estos son los verdaderos genios del mundo y el sistema educativo ha impedido que lleguen a ser "las personas de éxito" que podrían haber sido.

Nos enfrentamos al desempleo y sin embargo muchas de las tareas de menor importancia están en manos de personas que se prepararon para mejores puestos. Encontramos a la chica que se especializó en decoración de interiores en unos grandes almacenes ganando un sueldo ridículo si se compara con lo que costó su educación. El ingeniero se convierte en topógrafo ya que los puestos relacionados con la construcción de carreteras los tienen los sobrinos de los miembros de la junta. Un biólogo profesional se encuentra, a los cuarenta años, vendiendo zapatos.

Esto no sucede porque sean menos brillantes, sino que en el mundo hay un exceso de diplomas. De hecho, los hombres y mujeres que se ven obligados a aceptar esos puestos, con toda probabilidad son los mejor capacitados para ocupar las posiciones más altas. Lo recomendable es graduarse en un lugar medio de la clase, pero no así para el mundo de los negocios. Sin embargo, todo esto va a cambiar dentro de muy poco.

Cualquiera de estas personas sería un buen educador, en particular cuando han luchado contra el mundo, para su propio asombro. Si se les dieran puestos educativos dentro de su propio campo, el personal docente, que en la actualidad está agobiado por exceso de trabajo, podría tener una pequeña oportunidad de vivir con más calma sin sufrir en el aspecto económico ni en su reputación, ya que cuando el ejército crece, los sargentos siempre ascienden a capitanes. *Ronald*

Con la publicación de Dianética: La Ciencia Moderna de la Salud Mental en mayo de 1950, miles de lectores solicitaron instrucción personal sobre las técnicas de Dianética. Entonces, L. Ronald Hubbard volvió a abordar el tema de educar a estudiantes en su típica forma minuciosa.

Como se puede observar, su enfoque se basa en Dianética misma: en los axiomas que se relacionan con la forma en la que aprendemos al máximo, en nuestros impedimentos para aprender y, sobre todo, en la enseñanza con el fin de aplicar. En lo que equivalía a una recapitulación de sus ideas, él presentó las siguientes pautas de instrucción a los responsables de las clases de Dianética, que estaban entonces surgiendo por todas partes en Estados Unidos.

ENSEÑANZA

de L. RONALD HUBBARD

SI UNO DESEA que un tema se enseñe con máxima efectividad, debería:

1 Presentarlo en su forma más interesante.

    a. Demostrar su uso general en la vida.

    b. Demostrar al estudiante su uso específico en la vida.

2 Presentarlo en su manera más sencilla (pero no necesariamente la más elemental).

    a. Determinar y ajustar sus términos según la comprensión del estudiante.

    b. Usar términos de mayor complejidad sólo a medida que progrese la comprensión.

3 Enseñarlo con la mínima altura (prestigio).

    a. No asumir una actitud de importancia sólo por tener conocimiento del tema.

    b. No disminuir la estatura del estudiante o su propio prestigio sólo porque no conoce el tema.

    c. Enfatizar que la importancia reside sólo en la destreza individual al usar el tema, y en cuanto al Instructor, aceptar el prestigio sólo por la capacidad de usar el tema y no por ningún sistema artificial de castas.

4 Presentar cada paso del tema en su forma más fundamental con una mínima cantidad de material derivada por parte del Instructor.

   a. Insistir únicamente en el conocimiento definitivo de axiomas y teorías.

   b. Impulsar la mente del estudiante a entrar en acción para *derivar* y *establecer* todos los datos que sea posible derivar o determinar a partir de los axiomas o las teorías.

   c. *Aplicar* las derivaciones en forma de *acciones* hasta donde lo permitan las instalaciones de la clase, relacionando los datos con la realidad.

5 Enfatizar el valor de los datos.

   a. Inculcar la necesidad particular de evaluar los axiomas y teorías en cuanto a la importancia relativa que hay entre ellos, y de cuestionar la validez de cada axioma o teoría.

   b. Enfatizar la necesidad de que se evalúe individualmente cada dato en relación con otros datos.

6 Formar patrones de cálculo en el individuo tomando en cuenta solamente su utilidad.

7 Enseñar *dónde* se pueden encontrar datos o *cómo* pueden derivarse, no enseñar el registro de datos.

8 Estar preparado, como Instructor, para aprender de los estudiantes.

9 Tratar los temas como cosas cambiantes cuya utilidad está en expansión y que pueden alterarse a voluntad del individuo. Enseñar que la estabilidad del conocimiento reside sólo en la capacidad del estudiante para aplicar el conocimiento o alterar lo que él sabe para aplicarlo de una forma diferente.

10 Enfatizar el derecho del estudiante a seleccionar sólo lo que él desea saber, usar el conocimiento como él decida, y que él mismo posea lo que ha aprendido. *Ronald*

CAPÍTULO DOS

La Tecnología de ESTUDIO

STUDY TAPES

STUDY TAPES

DENT HAT

L. RON HUBBARD

L. RON HUBBARD

SUSSEX, ENGLAND — JUNE 1964

L. RON HUBBARD

La Tecnología de
Estudio

LOS FUNDAMENTOS DE LA TECNOLOGÍA DE ESTUDIO SE describieron por primera vez en 1964 en una serie de conferencias en la academia de entrenamiento de Scientology de Saint Hill Manor en Sussex, Inglaterra. En su introducción, Ronald habló de cómo un estudio paralelo de la fotografía, había proporcionado un modelo de investigación.

Es decir, al examinar su propio avance a lo largo de un programa de estudio, estaba mejor capacitado para aislar, en su totalidad, las barreras al estudio. Las cartas a los instructores (se había inscrito en un curso por correspondencia en el conocido Institute of Photography [Instituto de Fotografía] de Nueva York) proporcionan varios ejemplos concretos. Por ejemplo, encontrándose un tanto "desorientado" en las lecciones relacionadas con las soluciones para el revelado de negativos, finalmente determinó que el origen del problema era un error tipográfico: decía *contemporáneo* en lugar de *complementario*. Sin embargo, hay un panorama mucho más amplio sobre cómo llegó a desarrollar la Tecnología de Estudio y, expuesto de forma breve, es este: si Scientology puede definirse literalmente como "saber cómo saber" en el más amplio sentido de la palabra, entonces forzosamente debe contener las respuestas a cómo adquirimos conocimiento.

A modo de palabras de introducción adicionales, explicó que nunca había existido una verdadera tecnología de estudio. Ha habido una "tecnología de escolarización", como él lo expresó, lo que incluía aspectos secundarios como determinar el plan de estudios y planear las lecciones. También se había hablado mucho sobre las teorías pedagógicas, sobre lo que los psicólogos de la educación han descrito con descaro como los medios de imponer ideas a los niños. Pero el estudio como la ruta hacia la comprensión de las ideas y hacia el dominio de las habilidades: eso se ha descuidado. En consecuencia, no sólo habló de una decadencia en la educación, sino de la decadencia de civilizaciones enteras. También habló de lo que había sucedido en la educación desde la Segunda Guerra Mundial, y de manera específica de las primeras señales del descenso en los niveles de alfabetización. Finalmente, y recordando que estamos hablando de verdades esenciales extraídas de ese conjunto más extenso que es Scientology, reiteró la universalidad de la Tecnología de Estudio, es decir: estas son las barreras al estudio, y las

La Primera Barrera al Estudio

ausencia de masa o del objeto físico que uno está estudiando.

soluciones de L. Ronald Hubbard proporcionan los medios para la educación de todos los estudiantes en todas las materias.

Después comentó estas barreras, y aunque los métodos de estudio de L. Ronald Hubbard comprenden muchos principios y técnicas, estos son los fundamentos:

Ausencia de Masa

Llamó a la primera barrera al estudio ausencia de masa, y la explicó en relación con una respuesta fisiológica definida al aprender sin la masa o el objeto físico que se está estudiando. Es decir, si uno está

intentando entender el funcionamiento y manejo de un tractor, la página impresa y la palabra hablada no sustituyen a un tractor real; y, de hecho, la ausencia de un tractor que se pueda asociar con la palabra, o por lo menos una fotografía de la máquina, puede inhibir toda comprensión. Entre otras reacciones adversas que provienen de la falta de masa, el estudiante puede, como Ronald escribió, "terminar sintiendo la cara aplastada, con dolores de cabeza y sintiendo el estómago raro. De vez en cuando va a sentirse mareado y muy frecuentemente le van a doler los ojos". El estudiante también puede sufrir aburrimiento, exasperación y, significativamente, una buena cantidad adicional de lo que los psicólogos han tendido a catalogar como trastornos del aprendizaje que requieren del uso de psicoestimulantes. (Aunque, en cierta medida, algunos de los educadores algo más lúcidos han comprendido el principio de forma instintiva respecto a los estudiantes más jóvenes, esto nunca ha recibido la importancia que merece en todos los niveles de la educación). Pero L. Ronald Hubbard explica que si el principio se aprecia en su pureza, la solución es simple: proporcionar al estudiante el objeto en sí o un sustitutivo razonable, como un dibujo o una fotografía.

La Segunda Barrera al Estudio

gradiente de estudio excesivo

Gradiente de Estudio Excesivo

Describió la segunda barrera como un gradiente de estudio excesivo, y lo explicó en términos de intentar dominar una habilidad sin haber comprendido un paso previo necesario. Mediante un ejemplo, nos muestra al estudiante que aprende a conducir que es incapaz de coordinar las manos y los pies para cambiar manualmente las marchas de un vehículo en movimiento. Aunque uno pensaría que la dificultad se encuentra en la acción de cambiar las marchas, de hecho, hay cierta habilidad anterior que no se dominó, que tal vez sea simplemente mantener el vehículo en la carretera. En cualquier caso, la solución es sólo cuestión de volver hacia atrás, determinar lo último que el estudiante había comprendido y después aislar qué paso previo se había descuidado. La reacción a saltarse un gradiente incluye una confusión o una "sensación de tambaleo" que con frecuencia se identifica incorrectamente y así resulta ser la ruina de muchos estudiantes que de otra forma serían competentes.

{ **La Tercera Barrera al Estudio**
*todo se convierte en una clara sensación de estar en blanco
después de una palabra que no se entendió o que se entendió nal* }

La Palabra Malentendida

La tercera barrera, y la más importante, la denominó la palabra malentendida, y planteó esta pregunta como explicación parcial: ¿hemos leído alguna vez hasta el final de una página sólo para darnos cuenta de que no podíamos recordar lo que acabábamos de leer? Ahí es donde se encuentran los fenómenos de la palabra malentendida; todo se convierte en una clara sensación de estar en blanco después de una palabra que no se entendió o se entendió mal. Por el contrario, cuando la palabra que causa problemas se localiza y se define, todo se aclara mágicamente. Pero en cualquier caso, invariablemente se encontrará una palabra malentendida o no definida, justo *antes* de esa "clara sensación de estar en blanco o sensación de agotamiento".

El asunto es mucho más crítico de lo que se podría deducir de inmediato, y de las tres barreras, es la palabra malentendida la que más influye en las relaciones humanas, la mente y la comprensión. Ciertamente, es la palabra malentendida la que establece la aptitud o la falta de ella y, francamente, "es lo que los psicólogos han estado tratando de analizar durante años sin reconocer lo que era". Esto produce un amplio panorama de efectos mentales, y es el factor primordial que se relaciona con la estupidez. También determina si uno en realidad puede llevar a cabo la habilidad que ha aprendido, y a qué nivel de competencia.

Además de la palabra malentendida en sí, L. Ronald Hubbard distingue adicionalmente la palabra que no se ha definido o la palabra que no se ha comprendido. Asimismo señala con cierto énfasis que la palabra problemática no siempre es una palabra extraña o altamente técnica. Por el contrario, muy a menudo es el simple artículo, la preposición o la conjunción, lo que el estudiante no es capaz de comprender, y esa incapacidad tiene gran alcance y es perjudicial. En efecto, series de tests subsecuentes revelaron que hasta los graduados universitarios eran incapaces de definir elementos tan fundamentales del idioma como: *un, el, en* y *a*. Al mismo tiempo, como resultado de esto se produce lo que Ronald describe en otro lugar como "pequeñas incomodidades" con el lenguaje y de esta manera, las incapacidades para apreciar los matices de significado que contienen las palabras... Estas pequeñas incomodidades, oración a oración, párrafo a párrafo pueden de hecho llevar a la persona a una interpretación equivocada de series completas de ideas.

De hecho, las ramificaciones son inmensas; ya que al mencionar la palabra malentendida, uno en realidad está hablando de la raíz del problema, que es el causante de todas las incapacidades. Sin el malentendido, uno podría o no poseer talento, pero la capacidad de llevar a cabo una destreza, permanecería

"Precisamente la manera en que la palabra malentendida inhibe la comprensión, y de esta forma la habilidad, es un tema fascinante y afecta tanto a la esencia de la lingüística como a la totalidad de los procesos de aprendizaje humanos..."

desinhibida. Por el contrario, a un malentendido en cualquier campo, le sigue una incapacidad para actuar en ese campo, lo que, como L. Ronald Hubbard señala, explica el caso del estudiante superficial y aparentemente brillante que se gradúa con honores, pero sin habilidades demostrables.

Precisamente la manera en que la palabra malentendida inhibe la comprensión, y de esta forma la habilidad, es un tema fascinante y afecta tanto a la esencia de la lingüística como a la totalidad de los procesos de aprendizaje humanos: la forma en que comprendemos las palabras, la forma en que convertimos las palabras a ideas, e incluso la forma en que un solo malentendido puede desviar de su curso todo un flujo de ideas. Una parte importante del asunto es la declaración de L. Ronald Hubbard referente a la comprensión conceptual de las palabras, es decir: como conceptos simbolizados. De esta forma la lectura se convierte, no en un asunto de pronunciar correctamente las palabras, sino de alcanzar una comprensión clara y verdadera del significado que expresan esas palabras. Como veremos, la palabra malentendida afecta nuestra percepción de una materia, nuestra afinidad por ella, y hasta puede llegar a provocar antipatía y agresividad hacia aquello que no se entiende... como en el caso de (y esto no es ninguna exageración) una raza, una cultura o un sistema político diferentes. En consecuencia, también es la palabra malentendida la que por último conduce

al abandono del estudio y (para colmo) a una tasa de deserción del treinta al cincuenta por ciento, que es una plaga en tantas escuelas en Estados Unidos.

Como también veremos, los estudiantes se beneficiarían finalmente de algunos métodos de L. Ronald Hubbard para localizar y clarificar la palabra malentendida: la Aclaración de Palabras, como él la llamó, porque este es literalmente "el tema y la acción de deshacerse por completo de la ignorancia, de los malentendidos y de las definiciones falsas de las palabras, y de las barreras para su uso". Por el momento, sin embargo, permítasenos revisar sus estudios más amplios de la Tecnología de

Estudio como están contenidos en cuatro obras clave de L. Ronald Hubbard.

La primera es *El Manual Básico de Estudio* destinado para cualquier edad o nivel académico superior al nivel de bachillerato elemental, y que ofrece una base firme para la detección y resolución de las tres barreras al estudio. El siguiente es la obra de L. Ronald Hubbard, *Destrezas de Estudio* para *la Vida*, que ofrece los mismos fundamentos en un formato fácil de comprender para los adolescentes de 13 a 15 años, mientras que *Aprendiendo a Aprender* que contiene una gran cantidad de ilustraciones, está dirigido expresamente a los niños. Finalmente, y para la comprensión definitiva del tema, está el Curso del Hat del Estudiante, que se enseña en las organizaciones de Scientology. El término "hat" (en inglés: sombrero, gorra) se sacó de la jerga de

Scientology y se refiere a la noción tradicional de que una gorra es el distintivo de una profesión, por ejemplo: la gorra de un maquinista de ferrocarril. De aquí, que el Hat del Estudiante proporcione lo que viene a ser una comprensión profesional de la Tecnología de Estudio de L. Ronald Hubbard, y de esa forma la habilidad para dominar cualquier tema.

Y esta declaración no debe tomarse a la ligera. Como hemos dicho, estas barreras al estudio no son ni arbitrarias ni exclusivas de los métodos de L. Ronald Hubbard. Mejor dicho (y una vez más) este es el tema del estudio, y la implementación de las soluciones de L. Ronald Hubbard ha probado ser realmente extraordinaria. Por ejemplo, en tests controlados que se llevaron a cabo en niños de escuelas británicas, de edades comprendidas entre los siete y trece años, se comprobó que sólo diez

Fruto de unas cuatro décadas de experiencia como educador, los métodos de estudio de L. Ronald Hubbard representan la primera comprensión plena de las verdaderas barreras al aprendizaje eficaz. Él desarrolló una tecnología exacta para superar esas barreras, y de esa forma aprender y aplicar *cualquier* cuerpo de conocimiento.

Los tres textos definitivos sobre el tema, *El Manual Básico de Estudio, Destrezas de Estudio para la Vida* y *Aprendiendo a Aprender*, sólo difieren esencialmente en la forma de abordar el material; el primero está diseñado para adolescentes y estudiantes mayores, mientras que el segundo está dirigido a lectores jóvenes, y el tercero ofrece los fundamentos de la Tecnología de Estudio para niños de entre ocho y doce años.

Él se aseguró de que sus descubrimientos en el campo de la educación estuvieran disponibles para los niños en sus libros ilustrados *Cómo Usar un Diccionario y Gramática y Comunicación*. Y no nos engañemos, estas obras marcan la diferencia, en las escuelas primarias y en las salas para ejecutivos de las corporaciones multinacionales.

horas de instrucción en los métodos de L. Ronald Hubbard equivalían a 1.3 años de instucción escolar de progreso en la lectura. (Mientras que el otro grupo de estudiantes escogido como patrón de comparación, al que no se había proporcionado la Tecnología de Estudio, de hecho sufrió un ligero descenso en los niveles de lectura, muy probablemente debido a palabras malentendidas). Para no quedarse atrás, en las mismas diez horas de instrucción los estudiantes de Los Ángeles progresaron 1.4 años en los niveles de comprensión de lectura, y en cuanto a los estudiantes sudafricanos, cuyo nivel social era supuestamente muy bajo, el 91% aprobó los rigurosos exámenes nacionales con la Tecnología de Estudio de L. Ronald Hubbard mientras que el 73% de sus compañeros de clase no aprobó por carecer de esa tecnología.

Se podrían citar muchos ejemplos más, incluyendo aquellos estudiantes cuya puntuación del coeficiente intelectual mejoró notablemente, así como los instructores que hablaron de mejoras significativas en el comportamiento en las aulas y los chicos de pandillas callejeras que antes eran analfabetos y ahora se sienten sumamente atraídos por la lectura. Sin embargo, incluso considerando los resultados más básicos, tenemos ante nosotros algo de enorme importancia. Pero no se trata de otros "hábitos de estudio para lograr éxito" o de "consejos para lograr las calificaciones más altas". En lugar de eso, aquí se encuentra la anatomía de la educación. Aquí se encuentra, "el fundamento más básico del tema de aprender una materia", como el propio L. Ronald Hubbard describió la Tecnología de Estudio y, muy sencillamente, funciona. ∎

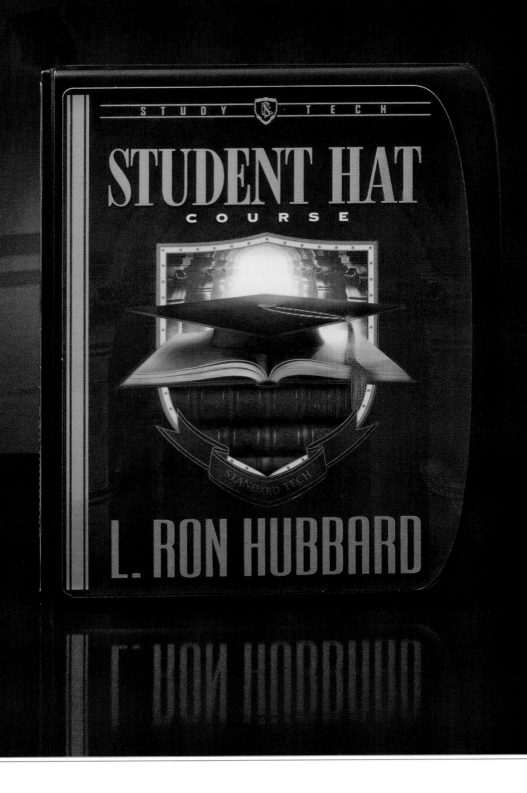

"He estado usando los métodos de estudio de L. Ronald Hubbard en Washington, D.C, para ayudar a los niños a leer. Cuando los niños vienen al programa, normalmente están atrasados de dos a cuatros años por debajo de su nivel. Algunos mejoran de uno y medio a dos años en dos horas de asistencia por semana en un periodo de un año, mientras que en general, en las escuelas no ocurre ningún cambio".
—Doctor William Tutman

Comparación del índice de aprobación en exámenes del Departamento de Educación de Sudáfrica, en estudiantes de institutos a quienes se les enseñó usando la Tecnología de Estudio de L. Ronald Hubbard y un grupo de control.

91%

27%

Grupo Control

Grupo de la Tecnología de Estudio de LRH

La contribución de L. Ronald Hubbard a los campos de la educación y el estudio se conoce como Tecnología de Estudio. El Hat del Estudiante, la compilación más exhaustiva sobre el tema del estudio, consiste en ocho conferencias de LRH y más de 150 páginas de texto y ejercicios. Ofrece métodos para reconocer y resolver todas las dificultades que obstaculizan la asimilación del material, lo que incluye una barrera nunca antes reconocida que en última instancia se encuentra en el fondo de todos los fracasos para continuar con cualquier estudio.

En pocas palabras, entonces, esta Tecnología de Estudio ayuda a cualquiera a aprender cualquier cosa; y se ha comprobado que con ella se pueden lograr resultados uniformes y constantes, dondequiera que se haya aplicado.

Como se basa en fundamentos comunes a todas las personas, supera las diferencias económicas, culturales o raciales, y todos pueden usarla sin importar su edad.

La Aclaración de Palabras es una faceta de la Tecnología de Estudio que se define como: "El tema y acción de eliminar la ignorancia, los malentendidos, las definiciones falsas de las palabras y las barreras a su uso". Como también se señaló, una palabra malentendida permanece malentendida hasta que se aclare su significado y se alcance un punto de comprensión conceptual plena. Dado que el aclarar palabras malentendidas es vital para la comprensión, a continuación se presenta en su totalidad la descripción detallada del procedimiento que L. Ronald Hubbard describió en 1978.

CÓMO ACLARAR UNA PALABRA MALENTENDIDA

de L. RONALD HUBBARD

EN LA INVESTIGACIÓN RELACIONADA con la aclaración de palabras, el estudio y el entrenamiento, que se llevó a cabo con diversos grupos en los últimos meses, ha resultado demasiado obvio que una palabra malentendida permanece malentendida y posteriormente bloqueará a una persona, a menos que aclare el significado de la palabra en el contexto de los materiales que esté leyendo o estudiando y que también la aclare en todos los usos diferentes que tiene en la comunicación en general.

Cuando una palabra tiene varias definiciones diferentes, no se puede limitar la comprensión de la palabra a una sola definición y considerar que la palabra es "comprendida". Debes ser capaz de comprender la palabra cuando se use de manera diferente en el futuro.

Cómo Aclarar una Palabra

Para aclarar una palabra, la persona busca su definición en un buen diccionario. Los diccionarios que se recomiendan son *The Oxford English Dictionary* o el *Shorter Oxford Dictionary*.

El primer paso es repasar rápidamente las definiciones, para encontrar la que es adecuada al contexto en que la palabra esté malentendida. Se lee la definición y se usa en oraciones, hasta que se tenga un concepto claro de ese significado de la palabra. Esto puede requerir diez oraciones o más.

Luego se aclaran cada una de las demás definiciones de esa palabra, y se usa en oraciones hasta tener una comprensión conceptual de cada definición.

Lo siguiente que se necesita hacer es aclarar la etimología, que es la explicación del origen de la palabra; esto ayudará a obtener una comprensión básica de la palabra.

No aclares las definiciones técnicas o especializadas (matemáticas, biología, etc.), obsoletas (que ya no se usan) o arcaicas (anticuadas y que ya no están en uso general), a menos que la palabra se use de esa manera en el contexto donde se entendió mal.

La mayoría de los diccionarios presentan los modismos de una palabra. Un modismo es una frase o expresión cuyo significado no se puede comprender a partir del significado normal de las palabras. Por ejemplo: estar hecho polvo, es un modismo en español que significa "sentirse cansado y abatido". Bastantes palabras en español se usan en modismos que normalmente aparecen en el diccionario después de las definiciones de la palabra en sí. Estos modismos se deben aclarar.

También se debe aclarar cualquier otra información que se dé acerca de la palabra, como notas sobre su uso, sinónimos, etc., para tener una comprensión completa de la palabra.

Si alguien encuentra una palabra o símbolo que no comprenda dentro de la definición de la palabra que está aclarando, debe aclararlos de inmediato usando este mismo procedimiento y después regresar a la definición que estaba aclarando. (Las abreviaturas y símbolos que se usan en el diccionario, por lo general se dan en sus primeras páginas).

Ejemplo:

Lees la oración: "Él se ganaba la vida limpiando chimeneas", y no estás seguro de qué significa *chimeneas*.

Encuentras la palabra en el diccionario y buscas entre las definiciones la que sea adecuada. Dice: "Conducto para el humo o los gases de un fuego".

No estás seguro de lo que significa *conducto* así que lo aclaras. Dice: "Un canal o paso para el humo, el aire o los gases de la combustión". Esta definición es apropiada y tiene sentido, así que la usas en algunas oraciones hasta tener un concepto claro de ella.

Conducto tiene otras definiciones en este diccionario; aclaras cada una de ellas y las usas en oraciones.

Busca la etimología de la palabra *conducto*.

Ahora regresas a *chimenea*. La definición "conducto para el humo o los gases de un fuego" ya tiene sentido. Así que la usas en oraciones hasta tener el concepto de ella.

Luego aclaras las demás definiciones. El diccionario tiene una definición obsoleta y una definición geológica. Esas las omitirías, ya que no son de uso común.

Ahora aclara la etimología de la palabra. Encuentras que la palabra viene del griego *kaminos,* que significa "horno".

Si la palabra tuviera algún sinónimo, notas sobre su uso o modismos, también se aclararían.

Ese sería el final de la aclaración de *chimenea*.

Contexto Desconocido

Si no conoces el contexto de la palabra, debes comenzar con la primera definición y aclarar todas las definiciones, la etimología, los modismos, etc., como se describió antes.

"Cadenas de Palabras"

Si ves que te lleva mucho tiempo aclarar las palabras que se encuentran en las definiciones de una palabra, debes conseguir un diccionario más sencillo. Un buen diccionario te permitirá aclarar una palabra sin tener que buscar muchas otras mientras la aclaras.

Palabras Aclaradas

UNA PALABRA ACLARADA ES LA QUE SE HA ACLARADO HASTA EL PUNTO DE UNA COMPRENSIÓN CONCEPTUAL TOTAL, ACLARANDO CADA UNO DE LOS SIGNIFICADOS COMUNES DE ESA PALABRA, ADEMÁS DE CUALQUIER SIGNIFICADO TÉCNICO O ESPECIALIZADO DE ESA PALABRA QUE PERTENEZCA AL TEMA QUE SE ESTÉ TRATANDO.

Eso es una palabra aclarada. Es una palabra que se ha comprendido.

––––––––––

Una palabra debe aclarase como se explica en el párrafo anterior.

Cuando las palabras se comprenden, puede haber comunicación, y con comunicación se puede comprender cualquier tema. *Ronald*

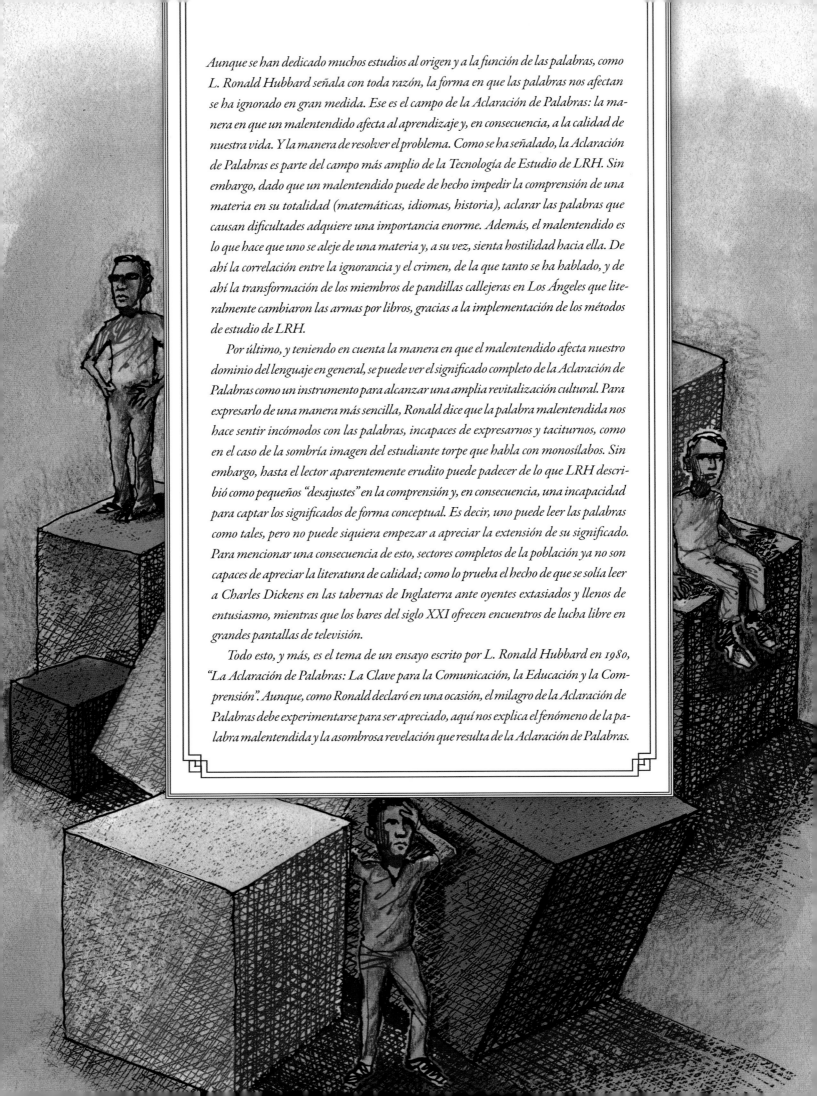

Aunque se han dedicado muchos estudios al origen y a la función de las palabras, como L. Ronald Hubbard señala con toda razón, la forma en que las palabras nos afectan se ha ignorado en gran medida. Ese es el campo de la Aclaración de Palabras: la manera en que un malentendido afecta al aprendizaje y, en consecuencia, a la calidad de nuestra vida. Y la manera de resolver el problema. Como se ha señalado, la Aclaración de Palabras es parte del campo más amplio de la Tecnología de Estudio de LRH. Sin embargo, dado que un malentendido puede de hecho impedir la comprensión de una materia en su totalidad (matemáticas, idiomas, historia), aclarar las palabras que causan dificultades adquiere una importancia enorme. Además, el malentendido es lo que hace que uno se aleje de una materia y, a su vez, sienta hostilidad hacia ella. De ahí la correlación entre la ignorancia y el crimen, de la que tanto se ha hablado, y de ahí la transformación de los miembros de pandillas callejeras en Los Ángeles que literalmente cambiaron las armas por libros, gracias a la implementación de los métodos de estudio de LRH.

Por último, y teniendo en cuenta la manera en que el malentendido afecta nuestro dominio del lenguaje en general, se puede ver el significado completo de la Aclaración de Palabras como un instrumento para alcanzar una amplia revitalización cultural. Para expresarlo de una manera más sencilla, Ronald dice que la palabra malentendida nos hace sentir incómodos con las palabras, incapaces de expresarnos y taciturnos, como en el caso de la sombría imagen del estudiante torpe que habla con monosílabos. Sin embargo, hasta el lector aparentemente erudito puede padecer de lo que LRH describió como pequeños "desajustes" en la comprensión y, en consecuencia, una incapacidad para captar los significados de forma conceptual. Es decir, uno puede leer las palabras como tales, pero no puede siquiera empezar a apreciar la extensión de su significado. Para mencionar una consecuencia de esto, sectores completos de la población ya no son capaces de apreciar la literatura de calidad; como lo prueba el hecho de que se solía leer a Charles Dickens en las tabernas de Inglaterra ante oyentes extasiados y llenos de entusiasmo, mientras que los bares del siglo XXI ofrecen encuentros de lucha libre en grandes pantallas de televisión.

Todo esto, y más, es el tema de un ensayo escrito por L. Ronald Hubbard en 1980, "La Aclaración de Palabras: La Clave para la Comunicación, la Educación y la Comprensión". Aunque, como Ronald declaró en una ocasión, el milagro de la Aclaración de Palabras debe experimentarse para ser apreciado, aquí nos explica el fenómeno de la palabra malentendida y la asombrosa revelación que resulta de la Aclaración de Palabras.

ACLARACIÓN DE PALABRAS: LA CLAVE PARA LA COMUNICACIÓN, LA EDUCACIÓN Y LA COMPRENSIÓN

de L. RONALD HUBBARD

"*La Aclaración de Palabras" se define como el tema y acción de eliminar la ignorancia, los malentendidos, las definiciones falsas de las palabras y las barreras para su uso. (La Aclaración de Palabras no tiene relación alguna con el diagnóstico o tratamiento de ningún trastorno médico o psiquiátrico, entre los que se incluyen condiciones en que la persona es incapaz de usar, ordenar o recordar palabras. La Aclaración de Palabras es pertinente únicamente a estudiantes y público normales. En el caso de individuos en los que se hayan encontrado condiciones mentales o psiquiátricas, se debe buscar asistencia médica competente).*

La transmisión de ideas de una mente a otra u otras depende de las palabras, los símbolos, los sonidos, las imágenes, las emociones y las asociaciones del pasado.

Lo más importante de todo lo anterior, en cualquier cultura desarrollada, es el uso de las palabras, ya sean escritas o habladas.

Aunque existen temas enteros relativos al desarrollo y al significado de las palabras, todos ellos muy eruditos y valiosos, prácticamente no se ha llevado a cabo ningún trabajo sobre el efecto de las palabras o las consecuencias de su mal uso o falta de comprensión. Este es el campo de la Aclaración de Palabras.

Lo que no se había estudiado antes, ni se conocía, es que el flujo de ideas en cualquier mensaje o campo de aprendizaje puede interrumpirse de tal manera que se suprima cualquier comprensión posterior a partir de ese punto. Además, la palabra malentendida puede llegar a actuar de tal manera que produzca ignorancia, apatía e incluso rebeldía. Y definitivamente disminuye la productividad.

Esto no sólo permaneció sin descubrirse, sino que además es obvio que no existía una tecnología para remediarlo.

Los descubrimientos y sus remedios constituyen el tema llamado "Aclaración de Palabras". Es parte de un campo más amplio denominado Tecnología de Estudio, pero la Aclaración de Palabras en sí tiene muchos usos y aplicaciones.

A partir del siglo XIX ha habido un deterioro en el nivel de cultura en el campo del aprendizaje. Esto no está a la vista por el hecho de que el número de personas que saben leer y escribir es hoy mayor que hace cien años. Pero al examinar lo que se leía y se escribía antes y compararlo con lo que se lee y se escribe ahora, incluso lo que escriben los eruditos, se observa una decadencia muy pronunciada. Si se comparan los discursos políticos y la literatura de hace cien años, o incluso de hace cincuenta años, con los actuales, la decadencia general del idioma se hará evidente. Hasta el vocabulario común parece haberse reducido.

"El principal obstáculo al que se enfrentan estos esfuerzos (la publicidad, los militares, la educación en general y otros) puede, de hecho, resumirse en la palabra malentendida".

Hace tiempo, al ver que el público dependía cada vez más de la radio, el cine y la televisión, que contienen la palabra hablada, estudié la posibilidad de que el público no recibiera por completo esos mensajes ni los comprendiera en su totalidad. Esto se confirmó recientemente con una encuesta que una asociación publicitaria llevó a cabo, la cual descubrió que el público entiende mal de una cuarta a una tercera parte de todo lo que se transmite por televisión. Al parecer, el estudio se llevó a cabo para desmentir acusaciones de publicidad engañosa. Pero tiene otras aplicaciones. Esto significa, por ejemplo, que se está desperdiciando de una tercera a una cuarta parte de este enorme gasto en publicidad. Y significa más aún: estos malentendidos pueden generar fácilmente antipatía e incluso agresividad y una actitud de rebeldía.

En parte, la causa de esto son los sistemas educativos cambiantes. En la actualidad se ha reducido el énfasis en la literatura y en el estudio de la lengua materna, si se compara con la actitud de la palmeta y de mandar al niño a la cama sin cenar del siglo XIX.

Aunque parezca extraño, el ejército es con frecuencia el primero en elevar el nivel de alfabetización de una cultura. Se dice que en la Primera Guerra Mundial, el ejército de Estados Unidos descubrió que el 70 por ciento de sus reclutas no sabían leer ni escribir. Algunos de sus esfuerzos por remediar esto sobreviven hoy en día con el nombre de un test de inteligencia compuesto en su mayor parte de símbolos que se llama "Army Alfa". Más recientemente, el ejército egipcio descubrió que sus soldados no sabían leer ni escribir y a partir de eso se lanzó una campaña de alfabetización en Egipto. Estamos en una era tecnológica. Las armas y el equipo son de naturaleza muy técnica, y para mantenerlos en operación, los soldados deben ser capaces de leer manuales. De manera que un ejército no se interesa tanto en la cualidad de saber leer y escribir, sino en la cantidad de personas que saben hacerlo.

No es necesario hacer hincapié en las estadísticas actuales de las escuelas, en las protestas de los iracundos padres de familia, en la disminución de los estándares para el ingreso y la graduación, en la disminución del valor de la educación, ya que estos son temas constantes en las noticias. Se hizo un gran esfuerzo por incrementar el número de estudiantes, por erradicar el racismo y la división de clases, pero por desgracia, esto no fue acompañado de esfuerzos por mejorar la calidad de la alfabetización.

El principal obstáculo al que se enfrentan estos esfuerzos (la publicidad, los militares, la educación en general y otros) puede, de hecho, resumirse en la palabra malentendida.

Miles de horas de investigación y cientos de miles de casos apoyan esta conclusión. Y en la actualidad existe una evidencia más que suficiente de que las técnicas de Aclaración de Palabras que se han desarrollado, resuelven esto por completo cuando se conocen y se aplican de forma apropiada.

Cuando alguien habla o escribe tiene la responsabilidad de cerciorarse de que se le comprenda.

En una medida limitada, existen formas de estar seguro de que a uno se le ha entendido.

En un plano más amplio, también tenemos la responsabilidad de asegurarnos de que el público de mañana entienda mucho mejor.

Uno mismo tiene la responsabilidad de comprender lo que ve y oye.

Y existe una ventaja adicional al utilizar las técnicas de Aclaración de Palabras: se pueden recuperar temas enteros y campos de educación que en un momento dado no se entendieron y que posteriormente no se pudieron poner en práctica.

En cualquier parte en que se esté dando o recibiendo comunicación, la tecnología de Aclaración de Palabras será de mucha utilidad.

> *"El problema de ser comprendido tiene mucho que ver con el nivel de alfabetización del público al que uno se dirige".*

Originación

Se puede suponer que la persona que origina un mensaje tiene cierto deseo de que quienes vean, lean o escuchen su comunicación la entiendan. De lo contrario, no tendría sentido hablar o escribir en absoluto.

Hace un siglo se le daba a esto más atención de la que parece prestársele en la actualidad. Entonces, había materias como "dicción" y "elocución" que se consideraban parte del programa usual de las escuelas. Hace 2,200 años en Grecia, estas materias y otras relacionadas, eran las más importantes entre los programas educativos. De hecho, la reputación de una persona se evaluaba en gran medida basándose en su habilidad para manejar palabras. Así que, al parecer, a pesar de los descubrimientos, de las maravillas científicas y de lo que se invierte en ellas, hoy en día la humanidad presta menos atención a la claridad de los mensajes que origina. Sin embargo, estas originaciones fluyen como un torrente nunca antes igualado en la historia.

El problema de ser comprendido tiene mucho que ver con el nivel de alfabetización del público al que uno se dirige.

Cuando se emprende la comunicación en masa, es inevitable que cierto porcentaje de quienes la reciben entiendan mal un porcentaje variable del mensaje. Pero no debemos aceptar esto con la actitud apática de "así son las cosas". Podemos lanzar una campaña general a favor de niveles más altos de alfabetización en años venideros y en futuras generaciones. Y existen muchas soluciones intermedias contenidas en los propios mensajes en sí. Es muy posible comunicar pensamientos complejos a audiencias relativamente analfabetas.

En cuanto a individuos y la communicación de una mente a otra, es relativamente fácil comunicarse aunque la otra persona sea casi analfabeta. Existen ideas antiguas (y falsas) de que es posible "insultar la inteligencia" o hacer que alguien se sienta ofendido si "se le habla con aires de superioridad". El verdadero error es originar mensajes de tal manera que uno no se dé a entender. No es necesario expresar compasión o desprecio por la "poca educación" de otros. Esto no tiene nada que ver con su inteligencia. Pero tiene mucho que ver con la habilidad del originador del mensaje para comunicarse con esa persona en particular.

En la Aclaración de Palabras se ha desarrollado la tecnología para manejar estas cosas. No siempre es posible poner en práctica esta tecnología en situaciones actuales, pero debe hacerse un esfuerzo por lograrlo. Y debe comprenderse la tecnología. En un tiempo se creyó que una causa fundamental de la guerra entre distintas naciones era la diferencia de lenguas. Con el fin de evitar "guerras" o discusiones con el público y con los individuos, debemos tratar de reducir al mínimo los malentendidos potenciales.

"Se puede suponer que la persona que origina un mensaje tiene cierto deseo de que quienes vean, lean o escuchen su comunicación la entiendan. De lo contrario, no tendría sentido hablar o escribir en absoluto".

Define tus Términos

En una era tecnológica y científica, existe un considerable incremento de terminología. Se han descubierto nuevos fenómenos e ideas a los que nunca antes se había dado nombre. Y por eso se introducen palabras nuevas. Esto ocurre en todas las actividades y avances de la sociedad. Pero existen maneras de ocuparse de esto también.

En una ocasión Voltaire, el filósofo francés, dijo que aquellos que quisieran discutir con él deberían definir sus términos. Estaba a las puertas de un gran descubrimiento. Con mucha frecuencia, las palabras malentendidas causan discusiones.

Si encuentras a dos personas discutiendo, podrías suponer que su problema radica en principios, deseos u opiniones. Y es obvio que este podría ser el caso. Pero si tomaras a estos contendientes, uno tras otro, encontrarías en su relación o en el pasado, palabras clave que cada uno utilizó con el otro, y que este último no entendió. Aunque es posible que esto no siempre resuelva sus diferencias de opinión, ciertamente disminuirá la intensidad de su discusión.

Con toda seguridad, sus malentendidos mutuos tuvieron cierto fundamento en palabras anteriores malentendidas.

Su error fue no darse cuenta de que estaban usando palabras que el otro no entendía, o para las que tenía definiciones equivocadas, y no definir esas palabras.

Esta afirmación podría parecer increíble hasta que se realiza el experimento. Un matrimonio se pelea continuamente por cuestiones de dinero. Él siempre usa la palabra "parsimonia" cuando habla de la economía de su hogar. Al examinar las palabras que ellos utilizan, encontramos que ella cometía el error de definir "parsimonia" como "estar tranquilo pase lo que pase", cuando en realidad significa "moderación o prudencia, particularmente en el gasto de dinero". Aclarar la palabra malentendida logra, por lo menos, un acuerdo en cuanto a las intenciones. El esposo nunca se dio cuenta de que estaba usando una palabra que provocaba en su esposa una reacción violenta.

El estudiante ansía dejar la escuela, se rebela, causa problemas y finalmente abandona los estudios. Un análisis cuidadoso revela que en realidad acabó desesperado por los difíciles términos de aritmética en uno de sus primeros cursos. Después de ser asesorado y ayudado, de pronto empezó a preguntarse qué le había sucedido y respondió de forma favorable. El autor del texto de aritmética había omitido definiciones simples y adecuadas de las palabras. Y hasta había usado palabras mucho más rebuscadas de lo que era necesario.

Existe un texto básico de "Marketing" (la destreza para poner en el mercado bienes y servicios, darlos a conocer y hacer que se compren y se utilicen) que hace que muchos de sus lectores se estanquen y es responsable de gran parte de la falta de comprensión en este tema. Al tratar de encontrar el origen de por qué esto era así, se descubrió que en los primeros párrafos el texto se negaba a definir la palabra "Marketing" y que incluso decía que era cualquier cosa que pudieras pensar al respecto. ¡El efecto sobre el estudiante era que no podía sencontrarle sentido a nada! Se quedaba trabado en los primeros párrafos del libro y no lograba asimilar algo que en realidad es un tema muy interesante y útil.

Estas palabras malentendidas estaban tan ocultas (ya que la reacción de la persona ante ellas era quedarse en blanco o sentir aversión) que la dificultad que causaban pasó desapercibida.

En el campo de la educación, una serie de grupos de la misma escuela realizaron tests de inteligencia y se descubrió que cuanto más "progresaba" un niño en la escuela, más bajaba su inteligencia. Los niños de ocho años, por ejemplo, alcanzaban coeficientes de inteligencia mucho más altos que los de trece años. Todo en la misma escuela. Las palabras sin definición abundaban en sus textos. Esta situación podría evitarse mediante una campaña concienzuda y rigurosa para que se definieran por completo las palabras que se utilizan.

Para usar una palabra, uno debería conocer su significado o saber cuál de sus muchos significados intenta comunicar y luego usarla en esa forma. Casi cualquier lenguaje civilizado dispone de un amplio vocabulario. Se puede expresar casi cualquier matiz.

En el siglo XIX, personas como los barqueros del Mississippi y los rudos vaqueros del oeste de Estados Unidos, desarrollaron la moda de usar palabras que fueran lo más polisílabas e inverosímiles al hablar. Lo hacían para impresionar, para enfatizar o para abrumar. Sin duda esto tenía cierta utilidad, especialmente en las peleas. Y debe señalarse que el pasatiempo principal en esa época era pelear. La violencia al hablar no puede sustituir el saber de lo que uno habla.

Quienes mueven la propaganda en este siglo han desarrollado toda una técnica para dar nuevas definiciones a las palabras, de forma que la población se incline hacia su forma de pensar. La obra maestra de George Orwell, *1984,* contiene algunos ejemplos extraordinarios. Muchos de ellos se pueden encontrar en los textos escolares modernos. "Libertad" se convierte en "el derecho a estar encadenado". Esta tendencia es el aspecto vergonzoso de la evolución natural del lenguaje. Porque el lenguaje evoluciona y cambia. Chaucer escribió poemas en inglés hace unos 600 años, y el lenguaje actual es tan diferente que es necesario hacer un curso del inglés de Chaucer para leerlos en su versión original. En la actualidad, las obras de Shakespeare se están deslizando a un nivel generalizado de incomprensión debido a la evolución del lenguaje en los últimos tres siglos y medio. Y sin ir más lejos, un soldado moderno podría tener dificultades al hablar de asuntos militares con un veterano de la Segunda Guerra Mundial. Las palabras y los términos cambian o sus significados pueden cambiar, aunque la palabra es aparentemente la misma. En épocas pasadas "derrochar" significaba "tumbar a un enemigo en la lucha". Por consiguiente, corresponde a quienes originan comunicaciones, estudiar y mantenerse al día para familiarizarse con la manera de hablar de las personas en general. De lo contrario, es posible que lo que trata de decir se reciba de forma muy distinta.

Cuando uno sospecha que el significado que tiene para una palabra podría ser erróneo, existen formas (que son útiles al escribir o al hablar) para estar seguro de comunicar el significado que pretende comunicar. No es suficiente suponer simplemente que de cualquier manera todas las palabras son imprecisas, y que nadie es capaz de entender en realidad lo que otra persona quiere decir (aunque ese argumento se ha usado en alguna ocasión como excusa para la falta de definiciones).

Si le parece a uno que la palabra que está diciendo o escribiendo probablemente no se haya entendido, simplemente la dice y la define ahí mismo. Por ejemplo: "La etimología, el estudio del origen y desarrollo de las palabras, es una materia académica". "Su destino eran las islas Hébridas, al oeste de la costa de Escocia". Una definición clara es casi obligatoria cuando se presenta la palabra clave del tema.

Hay otro método para definir en el texto, que implica el uso de sinónimos. Uno escribe uno o dos sinónimos después de la palabra. Por ejemplo: "Sus características felinas (de gato)...". "Sus brazos eran como madera de ébano: madera dura, fuerte, oscura y duradera". "No es bueno consentir (mimar, maleducar) al niño".

El truco al hacerlo es no interrumpir innecesariamente el flujo de la prosa.

No definir nada, es ser un orador cuyo público acabará echándose una siesta o un escritor cuyas obras no se leen o un individuo que a menudo es totalmente incomprensible, incluso para sus amigos, y a veces encontrará que tienen la tendencia a discutir con él y hasta reñir con él. Se trata de una cuestión de cortesía y no una cuestión de "hablarle a la gente can aires de superiordad".

"Quienes mueven la propaganda en este siglo
han desarrollado toda una técnica para dar
nuevas definiciones a las palabras, de forma
que la población se incline hacia su forma de
pensar. La obra maestra de George Orwell,
1984, contiene algunos ejemplos extraordinarios.
Muchos de ellos se pueden encontrar en los textos
escolares modernos. 'Libertad' se convierte
en 'el derecho a estar encadenado'".

El que origina cualquier mensaje tiene la responsabilidad de definir las palabras clave y las palabras especiales que use, señalando y definiendo con mayor claridad sus palabras cuando no se comprenden.

Hay un tercer método: escribir o hablar usando sólo un lenguaje muy simple. O. Henry, un escritor de cuentos de principios del siglo XX, tenía fama de tener un dominio magistral de las palabras simples en inglés, y fue uno de los escritores más ampliamente leídos y populares de su época. Sin embargo, él también utilizó la jerga contemporánea, así como las palabras especializadas del mundo de la delincuencia de ese período, por lo que sus obras no duraron mucho, ya que se volvieron obsoletas. Hay que diferenciar entre el lenguaje sencillo y el coloquial, porque no son lo mismo.

Escribir y hablar en un lenguaje sencillo, no está exento de dificultades. Tomando como base un gran número de estudios, se puede afirmar que ¡son las palabras pequeñas de uso común del lenguaje las que más habitualmente se malentienden! Se ha descubierto que palabras como "para", "de" y "como", hasta unas cincuenta palabras, pueden llegar a ser grandes obstáculos en la comunicación. Se pasan por alto debido a lo simples que son. Algunas palabras polisílabas son candidatos tan obvios para la incomprensión que reciben la concentración de la atención. Pero "todo el mundo sabe" estas otras palabras sencillas, cuando de hecho no es así. Una parte especial de la Aclaración de Palabras se dedica a aclararlas.

Es difícil expresar nuestros pensamientos y emociones sin disponer de un amplio vocabulario. Una persona con vocabulario limitado es como un indigente en el campo de la comunicación. Con frecuencia se siente empobrecido al tratar de decir lo que realmente quiere decir, y esto puede hacer su vida más difícil. Omitir una expresión obstruye el flujo normal de las relaciones interpersonales. Esto podría hasta llegar a convertirse en una moda en sí mismo. A medida que el vocabulario básico de los universitarios de las décadas de 1960 y 1970 se hundía, ellos empezaron a adoptar una forma de hablar vacilante e indefinida. Por desgracia, esto puede ir acompañado de una actitud desconfiada ante la vida misma. Y puede dar como resultado un mundo perplejo, donde nadie parece estar seguro de nada.

No es necesario renunciar a toda la majestuosidad del pensamiento y del lenguaje. Sólo necesitamos darnos a entender. El político moderno ha tratado de parecerse, hablar y escribir como un miembro más de las "masas" con las que trata de comunicarse. Lamentablemente, al hacerlo ha sacrificado su cualidad impresionante y con ella su posición de mando. La tarea es ser eficaz y hasta poético, usando palabras muy sencillas. Abraham Lincoln, el gran presidente de Estados Unidos en el siglo XIX, que dirigió de una manera imponente la cruzada y la lucha por liberar a los esclavos, tenía este don. Hoy un niño que va a la escuela puede leer sus discursos y estremecerse de emoción.

Para decir algo, se debe tener algo que decir.

Para hablar o escribir con sencillez, el primer paso es decidir cuál será nuestro mensaje. Y el segundo paso es redactarlo de tal manera que su comunicación llegue a la persona o personas a quienes va dirigido, con un mínimo de palabras malentendidas potenciales.

Tal vez existan muchos métodos aún por desarrollar para aclarar lo que significan las palabras que usamos. Los japoneses tienen uno: escriben con caracteres chinos pero en la parte superior derecha ponen pequeños símbolos que indican la pronunciación japonesa. En la lengua japonesa hay palabras homónimas, los mismos sonidos tienen muchos significados. Cuando dos japoneses discuten sobre significados, es común que uno de ellos saque un cuaderno y escriba el signo chino para que el otro lo vea. El sonido de la

"Cuando uno sospecha que el significado que
tiene para una palabra podría ser erróneo,
existen formas (que son útiles al escribir o
al hablar) para estar seguro de comunicar
el significado que pretende comunicar".

palabra no expresó la definición, el signo escrito en su totalidad, sí lo hizo. Así resuelven sus diferencias en cuanto a definiciones. Es posible que uno ponga un asterisco u otro símbolo después de una palabra poco usual y la defina al final de la página, ciertamente esto ahorrará muchas consultas al diccionario. En general, este tipo de sistemas no existen en inglés ni en los idiomas europeos. Pero el desarrollo y adaptación de algunos de ellos haría mucho más sencillo el flujo de la comunicación, al introducir definiciones exactas de los significados que se quieren comunicar. Esos idiomas también sufren de ser homónimos. Cualquier abogado te diría que los tribunales están llenos de demandas que resultan de palabras que están en contratos y que no se definieron debidamente. Los tribunales son una especie de guerra y la habilidad dominante más importante de un abogado es su manera de hablar. Cuando esto falla, el resultado son demandas. Todo encaja bajo el encabezado de definiciones de palabras.

"... cuando se usa una palabra que el lector u oyente desconoce o para la cual tiene una definición equivocada, todo lo que se diga o se escriba después de esa palabra quedará, en el mejor de los casos, en blanco".

Las palabras también tienen connotaciones emocionales, además de los fríos significados del diccionario. Quienes manejan propaganda, quienes escriben anuncios publicitarios o quienes se encargan de las relaciones públicas, con frecuencia tienen, o deberían tener, cierto dominio de este aspecto de las palabras. Pero no existe un diccionario que se especialice en catalogar este tipo de asociaciones. Pertenecen al uso público. Cambian de una década a la siguiente. Hay períodos en que son buenas y períodos en que son malas. En cierta época "fascista" era una denominación favorable pero ahora es una palabra insultante. "Provecho" solía ser algo digno de encomio pero ahora "aprovecharse" tiene un matiz muy negativo. Al escoger palabras, se debe tener cierta idea tanto de su asociación emocional actual como de su definición pura. La comprensión de la persona a la que estemos hablando o que esté leyendo lo que escribimos se ve afectada por la asociación emocional de ciertas palabras que uno use.

Se han realizado abundantes tests y se ha comprobado que cuando se usa una palabra que el lector u oyente desconoce o para la cual tiene una definición equivocada, todo lo que se diga o se escriba después de esa palabra quedará, en el mejor de los casos, en blanco. Por lo tanto, debemos dar definiciones o persuadir a los demás para que lo hagan. Sería un error no explicar lo que uno está tratando de decir. La habilidad que se requiere es la habilidad de expresar lo que se quiere expresar de la forma en que se quiere expresar y además estar seguro de que se entiende con facilidad.

El pensamiento es complejo, pero el lenguaje es rico y lleva, en sí, el mayor peso de la cultura y la ilustración en cualquier civilización de alto nivel. Está ahí para usarse, no para abandonarlo. La tarea es reconciliar su uso con una comprensión potencial. Se puede hacer.

No es suficiente suponer el significado de las definiciones, ya que esto también tiene el efecto contraproducente de la incertidumbre. Vale la pena ahondar en los diccionarios y las obras clásicas, encontrando las definiciones exactas y en ocasiones numerosas de las palabras. Las palabras no son sólo un árido tema académico. Llevan la corriente de una civilización en progreso. Están ahí para usarse en la vida. En ellas se encierra el conocimiento y el contenido del mundo.

Las palabras que utiliza un individuo o una sociedad forman a menudo la principal impresión de su personalidad que reciben los demás. Y cuando no se entienden, entonces tampoco se entiende al individuo o a la sociedad.

Pronunciación

La palabra hablada puede entenderse fácilmente sólo cuando se pronuncia correctamente.

La mala pronunciación puede ocurrir a causa de la ignorancia, de hablar en cierto dialecto o tener un acento. Los diccionarios hacen un gran esfuerzo por dar las pronunciaciones y se les debe prestar atención. No pueden, sin embargo, representar en su totalidad los efectos que tienen los lugares sobre el lenguaje en general. Algunas personas se enorgullecen de ser capaces de determinar exactamente de dónde es una persona al escuchar su acento.

Hay más de cuarenta y siete acentos claramente distintos en Inglaterra, a pesar de que es un país pequeño. Sigue habiendo un gran número de acentos diferentes en Estados Unidos. Los habitantes de París todavía muestran desprecio hacia todos los diferentes acentos del francés que se hablan en las "provincias".

La radio, el cine y ahora la televisión, han servido como grandes modificadores de los acentos. Antes de la radio era casi imposible para una persona de Kansas entender a un habitante de Maine, y viceversa. El dialecto local llegó incluso hasta el nivel de las ciudades y, como en Nueva York y Londres, a los distritos de las ciudades. Los acentos eran marcados.

"No es suficiente suponer el significado de las definiciones, ya que esto también tiene el efecto contraproducente de la incertidumbre. Vale la pena ahondar en los diccionarios y las obras clásicas, encontrando las definiciones exactas y en ocasiones numerosas de las palabras".

Al viajar a muchas partes, uno tenía que dominar rápidamente el dialecto local a donde quiera que fuera o se encontraba totalmente fuera de comunicación. No sólo se le identificaba como forastero, sino que simplemente no podía hacer llegar su mensaje. Bien podría haber estado hablando el idioma de las Islas del Mar del Sur. Los ingleses, que antes eran intolerantes hacia los "colonos", tuvieron una solución para eso. Hablaban mucho más fuerte. Los bostonianos tuvieron una solución. No se dignaban a hablar en absoluto. A nadie se le ocurrió jamás sencillamente aprender a hablar en ese dialecto. Se le hubiera entendido y él hubiera comprendido, pero esto se rechazó como algo "artificial", como una "pose" o una "burla".

Existe una habilidad en cuanto al dominio de un dialecto. Además de aprender las palabras más utilizadas y las variaciones de los significados que ellos les dan, es relativamente fácil duplicar un acento. Uno estudia desde que parte del cuerpo y de la cabeza originan su habla y luego hace lo mismo. La parte superior de la boca, la nariz, la garganta, el pecho o el estómago y muchas otras partes de la parte superior del cuerpo pueden servir como punto de origen para el habla (cualquiera de ellas, sean una o dos). Sólo tienes que encontrar el punto o puntos en los que se habla y hablar desde allí mismo y tendrás la base de su acento.

Con el uso amplio de la radio, los dialectos locales comenzaron a suavizarse y fusionarse en dirección a un acento nacional. Las películas comenzaron a hablar y la ávida audiencia que representaban los niños comenzó a imitar los acentos de sus héroes y heroínas. Y los acentos de nuevo se alejaron de los distritos individuales y se integraron formando una lengua nacional. Y luego, cuando apareció la televisión, se puso a la generación más joven frente a un televisor para que dejaran de molestar a mamá y los diferentes dialectos comenzaron a desaparecer para ser sustituidos por una pronunciación más nacional.

Entonces, ¿qué es el "acento nacional"? De hecho es lo que los actores y locutores dicen qué es. Probablemente es el idioma del escenario. Este lenguaje tiene sus propias peculiaridades: está diseñado para llegar a muchas audiencias con una tensión de voz mínima y una dicción máxima. La comprensión del público tiene prioridad incluso sobre la representación de los personajes.

"*Para hablar o escribir con sencillez, el primer paso es decidir cuál será nuestro mensaje. Y el segundo paso es redactarlo de tal manera que su comunicación llegue a la persona o personas a quienes va dirigido, con un mínimo de palabras malentendidas potenciales*".

Uno puede predecir entonces lo que se establecerá más firmemente como el acento y la pronunciación de la lengua de cualquier país o de países asociados por una lengua común: será ese acento y la pronunciación utilizada por la mayor parte de las personalidades importantes del cine, la televisión y la radio. Alguna vez podría haber sido la universidad a la que uno asistía, pero esta también cede ante el dominio de la radio, el cine y la televisión en particular.

Si uno quisiera asumir o utilizar un acento y una pronunciación más comprensibles, los buscaría entre las palabras que los locutores, actores y actrices actuales vierten en los canales de entretenimiento público. Esto sería cierto en cualquier idioma civilizado de hoy en día. La imitación en lugar de la educación es el camino que parece haberse seguido en el último medio siglo. Es una responsabilidad que estas personas nunca han asumido realmente, pero que desempeñan.

Ortografía

Se dice que en la época de Shakespeare, el gran dramaturgo y poeta de los siglos XVI y XVII d. C., los escritores se enorgullecían de inventar nuevas formas de deletrear las cosas. Esto puede ser cierto, pero en los últimos cuatro siglos las cosas sin duda se han estabilizado. La ortografía es sumamente uniforme.

En inglés todavía hay algunas diferencias en la ortografía entre Inglaterra y Estados Unidos: "labour" (trabajo) en Inglaterra es "labor" (trabajo) en los Estados Unidos.

De vez en cuando alguien trata de introducir una nueva forma de escribir una palabra, sobre todo acortándola. En Estados Unidos, a principios del siglo XX, hasta el presidente trató de hacer que la palabra "thorough" (a través) se escribiera "thoro". Pero hoy el diccionario incluye "thoro" como "una forma abreviada de thorough".

La ortografía rara vez cambia.

Los errores de ortografía pueden introducir una palabra malentendida en nuestras comunicaciones escritas.

Uno tiene la responsabilidad de usar buena ortografía en su comunicación si quiere que se le comprenda.

Los diccionarios actuales son la autoridad en el tema de la ortografía.

El error tipográfico en la impresión es un error ortográfico involuntario y también puede introducir un malentendido en la impresión. Tendrá en el lector los mismos efectos que cualquier otra palabra malentendida. La respuesta para el escritor es hacer corrección de pruebas, siempre que tenga la oportunidad. Es principalmente responsabilidad del editor. La solución para el lector es enviar una consulta cuando no pueda comprender algo y exigir la fe de erratas de los textos donde se producen errores tipográficos. Incluso la puntuación puede crear un malentendido en un texto cuando es incorrecta o se omite.

Legibilidad

En la escritura, las palabras ilegibles pueden introducir una palabra malentendida en cartas, manuscritos, notas o texto.

Cuando la máquina de escribir entró en escena, la escritura a mano comenzó a desaparecer. Como se comprueba en las muestras de la escritura de los estudiantes, ya no se le presta mucha atención en la mayoría de las escuelas.

Sistemas ineficientes de entrenamiento para escribir a mano comenzaron a aparecer casi al mismo tiempo que la máquina de escribir. Esos sistemas hicieron muy lenta la escritura, y los estudiantes, en un esfuerzo por acelerar, comenzaron a no seguirlos y entraron en un no-sistema y en la ilegibilidad.

Las notas de las reuniones de alrededor de 1850, tomadas durante la reunión por el secretario designado, son dignas de asombro. Son a menudo en "caligrafía antigua", un estilo de escritura que en la actualidad sólo se ve en las invitaciones de las bodas más elegantes. Es hermosa, como una obra de arte. Sin embargo, se escribía a toda velocidad, con curvas, adornos y todo lo demás.

A finales del siglo XIX, los periodistas, que aun no tenían máquinas de escribir, podían escribir letra de caligrafía legible tan rápido como un hombre podía hablar.

Estas habilidades se pueden adquirir. Es posible que incluso el sistema mediante el cual aprendieron se pueda desenterrar y se pueda poner nuevamente en uso.

Si uno quiere que se comprendan las comunicaciones que escribe a mano, debe tener cuidado de que su letra sea legible. El sistema mínimo sería repasar lo que se ha escrito, encontrar las palabras que no son fáciles de leer y escribirlas claramente en letra de imprenta arriba de la palabra ilegible.

El tema de la escritura a mano es bastante extenso. La gente tiene una idea de la personalidad basándose en ella, y algunos expertos incluso dicen ser capaces de leer en ella el carácter. Los padres a menudo forman su opinión de la calidad de la escuela por lo bien que su hijo ha aprendido a escribir a mano.

La escritura a mano es un tema un poco perdido y se debería revivir. Uno no siempre tiene una máquina de escribir a mano. La ilegibilidad puede introducir una gran cantidad de malentendidos.

Volumen

Cualquier persona que quiera comunicarse verbalmente con los demás, ya sea en persona, por teléfono, a través de una cinta o por la radio, el cine o la televisión, debe tener un buen dominio del tema del volumen.

Casi nadie lo tiene. Sin embargo, a menudo es la clave para hacer que las palabras que uno dice se comprendan.

El principio consiste en hablar lo suficientemente alto como para ser entendido claramente. Si el volumen es demasiado bajo, las sílabas que uno dice no se pueden comprender. Si es demasiado alto, el malestar de la recepción reduce la voluntad de escuchar.

La audición de una persona se puede entrenar. Incluso cuando no hay nada mal en sus oídos, poca gente tiene sensibilidad en relación con la calidad del sonido. Es una respuesta entrenada. Un ingeniero de sonido profesional, que ajusta la calidad del sonido y el volumen de los programas, se vuelve dolorosamente consciente de esta incapacidad general cuando trata de entrenar a alguien para que le ayude en su trabajo. Se trata de una gran rareza: como público, la reacción promedio de la persona al sonido es bastante sensible. Cuando uno trata de entrenarlo para regular el sonido en los programas, la persona comienza en una confusión total. La cuestión es que mucha gente no puede juzgar si lo que está escuchando es de buena o mala calidad, si el volumen es demasiado bajo o demasiado alto, pero casi *toda* la gente *reacciona* con agudeza a los defectos del sonido ya sea escuchado o grabado.

Un programa bien grabado, que se reproduce con una buena calidad en los niveles correctos de sonido, altos y bajos, obtendrá una respuesta de la audiencia, y se dirá que es una "gran orquesta" o un "buen programa". Un programa mal grabado con ajustes inadecuados de volumen alto y bajo tendrá una respuesta negativa por parte de la audiencia.

Por tanto, tenemos una especie de condición extraña general. La gente sabe cuando la grabación que escucha es mala. Sin embargo, no puede decir por qué es mala.

La primera observación de esto ocurrió en la década de 1950 con un grupo de estudiantes. Estaban escuchando una conferencia grabada y más de la mitad de ellos experimentaron somnolencia o se quedaron dormidos y la otra mitad mostraba falta de atención. Esto podría haber tenido muchas causas: el calor de la habitación, la hora del día, el tema de la conferencia y demás.

Una de las posibilidades era la calidad de la grabadora para grabar y su sistema de altavoces. Por lo tanto, como una prueba, se preparó un buen equipo y se puso una cinta de la misma serie a los mismos estudiantes en la misma habitación a la misma hora del día. El volumen se ajustó correctamente. ¡Bravo! Los estudiantes, sin saber que eran parte de un experimento, estaban brillantes, alerta y felices.

Se llevaron a cabo muchos más estudios de este fenómeno de la atención. Se encontró que la buena calidad y el volumen correcto permiten a los estudiantes entender las palabras con más facilidad. La mala calidad y el volumen mal ajustado, demasiado alto o demasiado bajo, cualquiera de ellos, desvirtuaban la capacidad de los estudiantes para comprender las palabras. Y esta incapacidad de recibir las palabras individuales de la conferencia a un volumen y con un nivel de calidad que ellos pudieran tolerar, fue lo que hizo que se quedaran dormidos.

"La base principal de la reacción del público es si ellos pueden entender las palabras o no".

La moraleja que se aprendió fue que el volumen debía ser correcto. Ni demasiado alto ni demasiado bajo, en ninguna parte del programa en comparación con cualquier otra parte. El ingeniero de sonido llama a esto "rango dinámico", refiriéndose al rango de volumen entre los puntos altos y los puntos bajos de un programa.

Estos errores se cometen continuamente en la grabación y mezcla cinematográficas. En la actualidad esto ocurre porque el tipo de cinta que se usa tiene un rango dinámico muy estrecho. (Para el experto, va de hecho de menos de 9 a 0 en un medidor de volumen para grabaciones.)

Por encima y por debajo de ese punto, el sonido se distorsiona. Además, el tipo de altavoces utilizados distorsionan el sonido cuando es demasiado bajo o demasiado alto.

En la televisión, suelen aumentar el volumen de los anuncios. Si uno ajusta el volumen de los anuncios, el volumen del programa se vuelve demasiado bajo. Y si se ajusta al programa, entonces los anuncios van a tener el volumen demasiado alto. Los aparatos de televisión contemporáneos tienen altavoces demasiado pequeños y muy deficientes y no tendrán un amplio rango dinámico.

En realidad no hay en el mundo muchos ingenieros de sonido buenos, a pesar del dominio de la electrónica en esta era. Parte de esto es la falta de un verdadero libro de texto sobre el tema y parte de ello es que, hasta la fecha, los equipos electrónicos utilizados en este campo son generalmente deficientes, poco fiables y requieren un técnico super experto para configurarlos y un ingeniero de sonido que sea un genio para operarlos. Lo que pasa en la "industria" (como se refieren al mundo de las películas) por "calidad" de sonido está, en promedio, muy por debajo de lo que incluso un aficionado (que trate de obtener el máximo rendimiento posible de su equipo de grabación de alta fidelidad) consideraría aceptable. Este es uno de esos "hechos conocidos" de la "industria". Los mejores fabricantes de equipos se encogen de hombros ante el reto y dicen: "Bueno, no nos exigen más de lo que les damos".

Sin embargo, por los diversos estudios de las reacciones del público, es la calidad del sonido y el rango dinámico correcto y estrecho entre altos y bajos lo que hace que un programa sea aceptable. El público no sabe por qué, sólo "lo sabe".

La base principal de la reacción del público es si ellos pueden entender las palabras o no.

Por lo tanto, si la persona responsable de que un programa sea aceptado por el público quiere asegurarse de que se le preste atención, debe, entre otras cosas, prestar atención a la calidad de grabación y al volumen. De lo contrario el público no va a entender algunas de las palabras y apagará el programa o se mantendrá alejado.

Un buen sonido se puede grabar, mezclar y transmitir, incluso con equipos contemporáneos. Sin embargo, se requiere de hecho mucho cuidado, trabajo y experiencia. Esto tiende a ser una zona algo descuidada a nivel administrativo. Pero puede hacerse.

Uno se puede preguntar, ¿qué tiene que ver toda esta discusión técnica con nuestra capacidad para lograr que nuestros oyentes, que se encuentren en la misma sala, nos entiendan y nos oigan? El volumen tiene mucho que ver con eso.

Has visto gente inclinando su cuello hacia delante para poder escuchar lo que otro le decía. Los has visto inclinarse hacia atrás cuando alguien les habla demasiado alto.

También hay otro factor: la capacidad del oído para ajustarse al volumen, o si lo hace o no. El ojo se adapta a la luz que es demasiado brillante o demasiado oscura. Pero tarda un poco en hacerlo. Puede haber o no estudios similares sobre el oído. Si es que existen, no son muy conocidos.

Cuando uno se enfrenta al tráfico, en algunas ocasiones el sonido parece terrible, pero después de un rato parece "normal." Un bosque parece completamente silencioso cuando uno entra en él, pero poco después puede escuchar toda clase de ruidos: las hojas, los insectos y las aves. Esto se explica comúnmente con "acostumbrarse a algo". La posibilidad es que al oído o a la persona misma le lleve un momento adaptarse a los cambios de volumen del sonido en general.

Así que tal vez haya otro factor en simplemente hablar o escuchar a alguien de cerca. El rango dinámico (la diferencia entre el mayor y el menor volumen de sonido) también podría ser pertinente.

Si uno dice la primera sílaba de una palabra en voz alta y la segunda sílaba en voz muy baja, es poco probable que esa palabra se entienda. Terminaría como una palabra mal entendida en el habla.

Pero como quiera que sea, con el fin de hacerse comprender, uno debe ajustar el volumen de su voz a la distancia en que está la persona, a su capacidad auditiva y, a veces, al reflejo del eco en la habitación o a la ausencia de eco. Y habiendo establecido ese volumen, no debería cambiarse demasiado entre palabras y frases.

En realidad es una gran destreza y no se le presta mucha atención. Sin embargo, dejar de hacer esto puede hacer que el que habla parezca incomprensible. El volumen mal calculado, cuando es demasiado bajo, puede hacer que se pierdan palabras completas, o incluso toda una frase. Cuando es demasiado alto, las palabras e incluso el enunciado completo puede quedar bloqueado.

El volumen también tiene un aspecto relativo a la personalidad: a la gente que habla demasiado bajo se le considera retraída o tímida, y a las personas que hablan en voz demasiado alta se les considera arrogantes o prepotentes.

Por lo general, la gente cuenta con que los demás regulen su volumen de voz al hablarle: cuando alguien habla demasiado bajo a veces se le pregunta: "¿Qué dijiste?" y cuando habla muy alto a veces le dicen: "¡Ya te escuché?". Pero con un poco de práctica no se necesitan estos reguladores.

El primer gran paso hacia adelante en el volumen es reconocer que existe y el siguiente paso es aprender a controlarlo.

Un buen control del volumen de la voz a menudo se asocia con una persona "culta".

En el fondo de todo simplemente hay esto: si las palabras que uno dice son escuchadas y comprendidas.

Las reacciones y efectos cuando las palabras no se escuchan ni se comprenden correctamente pueden ser muy sorprendentes. Y cuando se logra que se escuchen y comprendan, eso a veces allana el camino hacia una vida más libre de conflictos. *Ron*

"Las palabras no son sólo un árido tema académico. Llevan la corriente de una civilización en progreso."

CAPÍTULO TRES

La
LLAVE DE LA VIDA

La
Llave de la Vida

"EXISTE LA POSIBILIDAD DE QUE TENGAMOS TODA UNA civilización que está incomunicada". – L. Ronald Hubbard

En esta cultura, la incapacidad para comprender la comunicación escrita y oral es de dimensiones tan epidémicas, que "ya no deberíamos preguntar cuál es la razón de su fracaso" concluyó L. Ronald Hubbard en un nota escrita alrededor de 1980. En particular citó las estadísticas que relacionan el analfabetismo con la violencia, el analfabetismo con las pérdidas económicas, y el analfabetismo como un factor en los disturbios políticos. También habló del analfabetismo funcional o analfabetismo oculto como un serio perjuicio a la vida misma, mientras que incluso quienes tienen una mayor capacidad de expresión entre nosotros, están abandonados en un "mundo incomunicado".

El tema a tratar aquí es el Curso de la Llave de la Vida: la razón de que no haya entendimiento entre nosotros, y lo que este fallo significa para esta cultura en general. La forma en que se creó este curso es algo muy simple. En 1978, mientras trabajaba con estudiantes que habían asistido a escuelas públicas en Estados Unidos y en Europa en las décadas de 1950 y 1960, Ronald notó que el nivel de alfabetización era mucho más bajo que cualquiera que hubiera encontrado antes, salvo el de las tribus beréberes en Marruecos. Los peores casos, que de ninguna manera estaban aislados, "no pueden leer inglés en absoluto y en su vida diaria leen señales de tránsito creyendo que son de publicidad de discoteca". Se encontró que hasta estudiantes que habían pasado por la universidad eran deficientes e incapaces de comprender las obras baratas que se leen por entretenimiento. (De ahí la reveladora nota de LRH sobre el estudiante que no fue capaz de captar una aventura del oeste americano porque al leer "montó su roano" creyó que decía "rodó por los montes"). Además, esa deficiencia estaba establecida con tal firmeza que los estudiantes habían llegado a creer, y esto también nos lo dice LRH: "¿No es así como leen todos?".

La investigación posterior reveló más. Un cincuenta por ciento de la población de Estados Unidos no es capaz de leer un texto de octavo grado. El porcentaje de estudiantes estadounidenses que abandonan sus estudios es cinco veces más alto que en Japón y catorce veces más alto que en Rusia. El costo financiero de esta crisis para la industria de Estados Unidos alcanza los miles de millones de dólares al año. De ahí que el Departamento de Trabajo de Estados Unidos advirtiera sobre las "devastadoras consecuencias" del analfabetismo en la fuerza laboral norteamericana. Al mismo tiempo, en un grupo de treinta maestros de escuela escogidos al azar, se encontró que ninguno era capaz de comprender por completo los libros de texto estándar que se usaban en el salón de clase (incluyendo al trigésimo primero que se sometió a la prueba, que de hecho había escrito algunas secciones de ese texto). Finalmente, y aquí llegamos al quid de la cuestión, un estudio adicional de L. Ronald Hubbard reveló que las destrezas de lectura y comunicación eran mucho más bajas de lo que los estudiantes mismos habían imaginado. Esto significa que (y esto es crucial) uno podría suponer que lee y se comunica con claridad, cuando en realidad no es así. Por consiguiente, L. Ronald Hubbard llegó a esta estremecedora conclusión: "Existe la posibilidad de que tengamos toda una civilización que está incomunicada".

Las notas de L. Ronald Hubbard sobre las causas de esto, nos hacen volver directamente al asunto Dewey-Thorndike. En palabras lisas y llanas, escribió, el salón de clase moderno es una fábrica psicológica de reforma social, y no tiene absolutamente nada que ver con la educación. Los

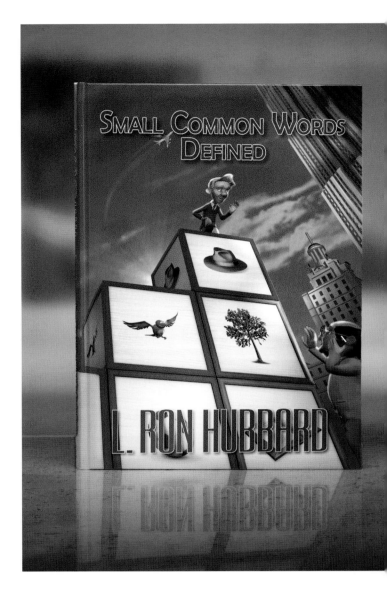

programas de estudio tienden a "erradicar faltas en lugar de a adquirir habilidades", al mismo tiempo que los exámenes fomentan la memorización "en lugar del uso de la información para pensar". En el mismo barco a punto de hundirse se encuentran los instructores que están convencidos de que sus alumnos son incapaces de aprender y de hecho, se les alienta a desestimar el problema como un "Trastorno de la Expresión Escrita" o "Trastorno de Lectura 315". Y en este punto entra el psiquiatra con cualquiera de una docena de drogas psicotrópicas, y ahora el niño no sólo sufre de una "Disfunción Educativa", sino que puede padecer dolores de cabeza, insomnio, dolores abdominales, y lo que se ha llegado a considerar una "seria complicación" de abstinencia: el suicidio.

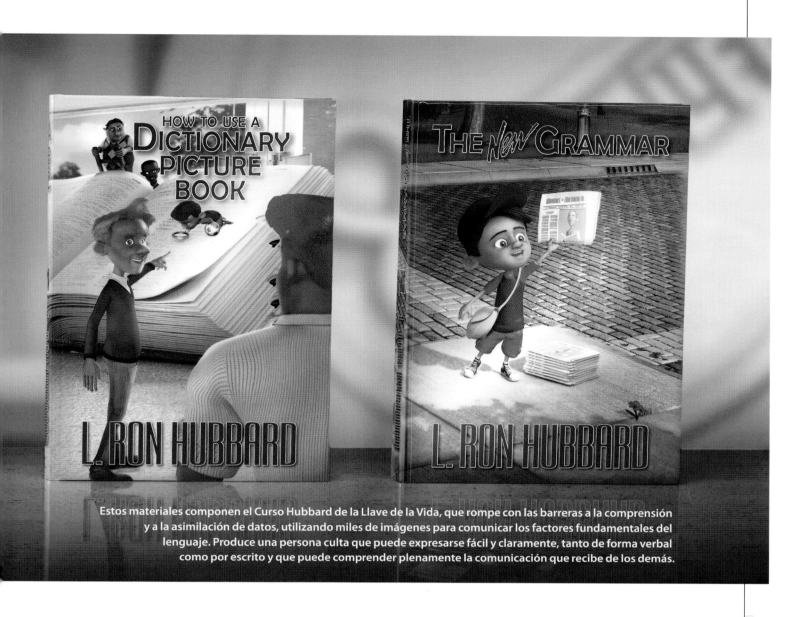

Estos materiales componen el Curso Hubbard de la Llave de la Vida, que rompe con las barreras a la comprensión y a la asimilación de datos, utilizando miles de imágenes para comunicar los factores fundamentales del lenguaje. Produce una persona culta que puede expresarse fácil y claramente, tanto de forma verbal como por escrito y que puede comprender plenamente la comunicación que recibe de los demás.

Hay más, incluyendo la televisión y los video-juegos (que no sólo han destruido por completo la página impresa, sino que efectivamente han hipnotizado a dos generaciones) y tanto la psiquiatría como el consumo ilícito de drogas llevan al mismo callejón sin salida. A continuación tenemos lo que la psicología ha forjado como el credo dominante del siglo XX, que incluye una visión del niño como algo que debe ser moldeado, mientras su maestro está armado a más no poder con instrumentos derivados de experimentos con animales. Por último, y teniendo en cuenta que todo se deriva de la palabra malentendida, existen los típicos textos con un término sin definir tras otro que también entorpecen, desorientan y confunden.

Por consiguiente, Ronald desarrolló el Curso de la Llave de la Vida, para retirar poco a poco los impedimentos a la comprensión y proporcionar los instrumentos para la comunicación. Como primer paso crítico, habla de resolver una cuestión que causa especial desconcierto, al estilo de "qué fue primero, ¿el huevo o la gallina?". La cuestión es: ¿cómo transmitir el significado de una palabra a estudiantes que no entienden las palabras que se usan para enseñarles? Para captar este problema, considera abrir un diccionario en inglés y ver la primera definición. Tal vez satisfaga al lingüista, pero no al lector medio, en particular al examinar los códigos fonéticos sin explicación, los símbolos relacionados con la etimología y demás. Lo que es peor, hasta los diccionarios más sencillos para niños

difícilmente pueden evitar el uso de terminología compleja. En consecuencia, la pregunta sigue en pie: ¿cómo transmitir un idioma, su estructura, sus palabras y su uso, sin exponer a los estudiantes a tener más palabras malentendidas?

La solución de L. Ronald Hubbard fue la ilustración, de hecho miles de ilustraciones que hacen posible que los estudiantes capten lo que de otro modo no podrían captar con sólo la palabra escrita. Por ejemplo, al inicio se les enseña a los estudiantes el procedimiento de aclaración de palabras con ilustraciones: ilustraciones de lectores que consultan diccionarios, seleccionan la definición apropiada y demás. De la misma manera, se proporciona a los estudiantes lo fundamental del vocabulario del inglés, los medios para usar un diccionario y lo esencial de la gramática inglesa; exactamente en ese orden, y usando ilustraciones.

Un vistazo a los textos de L. Ronald Hubbard explica esto con mayor amplitud. Existen tres libros centrales para el Curso de la Llave de la Vida, aunque no necesariamente son exclusivos para ese curso. De hecho, mucho de lo que constituye el Curso de la Llave de la Vida se diseñó originalmente para ser usado por sí mismo en cualquier campo educativo: la escuela pública, las clases para adultos e incluso los programas más básicos de alfabetización. El primero se titula adecuadamente *Small Common Words Defined (Definiciones de las Palabras Pequeñas y Comunes)*, ya que ofrece las sesenta palabras que se utilizan con mayor frecuencia en la lengua inglesa, es decir, los componentes básicos del idioma que son absolutamente necesarios para definir las demás palabras. Cómo se dijo anteriormente, las definiciones de esas sesenta palabras se transmiten a través de ilustraciones. Es decir, las palabras no solo se definen con palabras sino también con ilustraciones. Este sistema es muy revolucionario, pues aunque los diccionarios para niños tienen muchas ilustraciones para lograr una mejor comprensión, las ilustraciones no son, en realidad, parte integral de la definición. Las ilustraciones del libro *Small Common Words Defined* de L. Ronald Hubbard, no sólo son parte integral de la definición: proporcionan la definición. El resultado es un estudiante que capta los fundamentos del inglés sin importar su nivel de alfabetización, y al dominar esos fundamentos, está listo para empezar con el siguiente instrumento vital de L. Ronald Hubbard: el libro ilustrado de *Cómo Usar el Diccionario*.

El libro ilustrado de *Cómo Usar el Diccionario* también enseña mediante ilustraciones y también refleja el hecho de que no es posible abrir un diccionario estándar, ni siquiera los que se hacen para niños pequeños, sin encontrar terminología y símbolos de etimologías que en general no se entienden o que no se explican de forma adecuada (un problema, dicho sea de paso, que los programas educativos modernos han ignorado por completo).

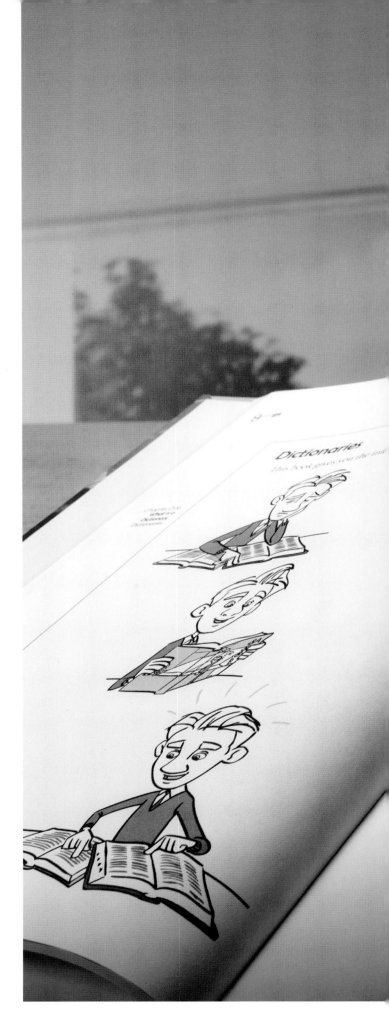

"El Curso la Llave de la Vida ha abierto una nueva vida para mí. Leo algo y lo entiendo, inmediatamente, o encuentro la palabra o símbolo que necesito aclarar para entenderlo. Tengo el potencial de entender y aplicar cualquier cosa en la que esté interesado". - U.V.

HOW TO USE A
DICTIONARY
PICTURE
BOOK

L. RON HUBBARD

...ou need to use a dictionary.

There are many kinds of dictionaries.
Some dictionaries are very big.
There is a dictionary which contains so much information that it needs many, many books to hold it all.

Chapter One
What is a Dictionary
Dictionaries

Dictionaries are different and they may define... Most dictionaries are similar though, and wh... dictionary you will be able to use other dictionar...

El sin igual Libro Ilustrado, *Cómo Usar un Diccionario* de L. Ronald Hubbard proporciona el eslabón faltante de la educación primaria, la comprensión de la terminología, los símbolos y la nomenclatura de un diccionario del idioma inglés.

Introducción a la Nueva Gramática

del Doctor David Rodier, Catedrático Adjunto de Filosofía de la Universidad Americana, Washington, D.C.

El inglés es el idioma de la comunicación internacional. Es el idioma que usan los jefes de estado. Es el idioma de los acuerdos en los negocios internacionales. Es el idioma de la mayoría de las crecientes cantidades masivas de información computarizada.

Desafortunadamente, la mayoría de las personas educadas por los sistemas de educación pública en Estados Unidos no son competentes para comprender y usar el inglés. Como catedrático en una de las mejores universidades privadas de Estados Unidos, estoy muy consciente de que muchos de nuestros estudiantes, a pesar de estar entre los estudiantes de más altas calificaciones en los exámenes estandarizados, son incapaces de comprender lo que leen. Al no tener un dominio de todos los recursos del idioma inglés, los estudiantes se vuelven prácticamente analfabetos.

Esta inhabilidad para comprender y usar el lenguaje en su totalidad causa problemas en las escuelas y en los negocios, y estos problemas afectan áreas más amplias en la sociedad. En esta época de analfabetismo tan difundido, L. Ronald Hubbard presenta un libro que hace a la gramática más comprensible y útil para todos.

Este libro toma la gramática y la hace fácil. Ayuda a los individuos a comprender los elementos de construcción básicos del inglés y cómo usar esos elementos de construcción para comunicarse mejor, expresar mejor sus pensamientos y comprender mejor lo que leen.

L. Ronald Hubbard adquirió fama como escritor por primera vez en una época en que incluso las revistas populares del momento contaban con que sus lectores apreciaran la riqueza de vocabulario y la variedad de estilo.

Sólo un escritor profesional con la sensibilidad para el lenguaje que tiene un escritor podría haber escrito un método tan innovador para abordar la gramática. Sólo un escritor de esta categoría pudo ver la gramática, no como un conjunto de reglas limitantes, sino como algo lleno de posibilidades para una expresión rica del pensamiento y la acción.

L. Ronald Hubbard enseñó a los escritores a escribir en los años 40, y ha llegado a lo más fundamental con este libro de gramática, regresando al campo de la enseñanza del lenguaje.

Este es un libro brillante hecho por una mente brillante. De hecho, representa una revolución en cuanto al pensamiento. ∎

"Me he recuperado a mí mismo en el Curso de la Llave de la Vida, y he ganado una capacidad para duplicar a otros y ser duplicado por otros. Me siento como una persona nueva que se ha librado de toneladas de confusiones y miedos y que tiene herramientas que me capacitan para vivir la vida". -T.P.

"Estando completamente confuso y atontado por el sistema educativo, de alguna manera avancé torpemente por la vida hasta ahora. Hice el Curso de la Llave de la Vida para deshacer años de entrenamiento y educación incorrectos y para poner una base que esté ahí el resto de mi vida". -F.A.

hosen. A flying bat's
und. So now when
s object.

Bat

However, there are other things which can also be represented by the same sound. For example, when a ball is hit by a bat it could be thought to make the sound "bat." So this same sound, and its written symbol, is also used for an entirely different thing or idea.

Bat

Then the same sound or symbol which is used to represent the object—i.e., "BAT" as in baseball bat—can be used to represent the action done with or by that object and so we get the same sound or symbol being used with a different meaning. The action is not the same as the object even though they are related. In the following example, you see a ballplayer *bat* the ball.

Bat

Un enfoque revolucionario del tema, *La Nueva Gramática* es la primera explicación completa y detallada sobre la manera en que usamos el idioma inglés.

En cualquier caso, el estudiante no posee los medios para aclarar una palabra malentendida. Para ese propósito específico, El *Libro Ilustrado de Cómo Usar un Diccionario* ofrece explicaciones directas

"Existe la posibilidad de que tengamos toda una civilización que está incomunicada".

de formas fonéticas, de puntuación, abreviaturas y más. De esta manera, proporciona las herramientas para la comprensión y el mejor medio para adquirir un excelente vocabulario.

El tercer texto de L. Ronald Hubbard, y del que más se ha hablado, de esta colección es *La Nueva Gramática*. Es una continuación lógica de los textos anteriores, ya que al comprender los fundamentos del inglés y el uso del diccionario, el estudiante está ahora preparado para aprender la manera en la que nos comunicamos mejor. *La Nueva Gramática* es una obra revolucionaria y representa una visión práctica del idioma, con la gramática descrita como "la manera en que las palabras se organizan para formar el habla y la escritura con el fin de transmitir pensamientos, ideas y significados exactos entre las personas". En ese sentido, la gramática se convierte no en reglas para la construcción de oraciones, sino en "un sistema de acuerdos en cuanto a la relación que existe entre las palabras para producir una comunicación que tenga significado".

Esta distinción tiene una importancia enorme, y llega al corazón de otro enorme impedimento a la expresión escrita y verbal: la gramática inglesa como una tradición compleja y que se enseña mal. Por regla general, lo que se considera el uso moderno del inglés es herencia de los gramáticos medievales que trataron de estructurar el lenguaje de acuerdo al modelo latino. Como parte del impedimento, nos llega una visión de la gramática como una materia estricta para distinguir a la élite del vulgo. (Después de todo, el latín era el idioma de la liturgia y de la diplomacia, y en consecuencia, su uso apropiado era muy importante para el ascenso social. Además, los gramáticos del siglo XIII se consideraban filósofos además de lingüistas, y presentaban sus obras como un estudio altamente esotérico). A pesar de que periódicamente se ha hablado de reformas, todavía existen las señales externas de todo esto. El gramático moderno aún es vagamente una figura medieval, ya que su repertorio de trabajo sigue siendo un estudio esotérico de reglas restrictivas. Además, esas reglas siguen siendo una medida bastante severa de la categoría social, en particular si se considera lo difícil que es comprenderlas.

Lo que ofrece *La Nueva Gramática* es básicamente lo opuesto: no un conjunto de reglas restrictivas, sino un medio de expresión ilimitada y de comprensión perfecta. En una explicación concisa de su postura (tomada del texto mismo) Ronald escribe: "Es de particular interés notar que la gramática es una materia de 'análisis posterior'. En otras palabras, intenta hacer reglas sobre algo que ha estado en uso durante siglos y está en un estado avanzado de evolución. No crea algo. Sólo trata de describirlo.

"Esto de inmediato descarta la idea de que la gramática es un estudio que debe estar en manos de los profesores. Es evidentemente algo que se usa y que debe estar en manos de quienes lo usan. Los gramáticos no inventaron la comunicación oral y escrita. Cuando hacen bien su trabajo, ayudan a las personas a comprenderse en su comunicación oral y escrita". Al reflejar eso exactamente (una vez más utilizando ilustraciones para enseñar) *La Nueva Gramática* no sólo clarifica, sino que de hecho elimina los elementos de la gramática tradicional que los académicos impusieron arbitrariamente al idioma. Así tenemos una gramática que en realidad es de las personas y para ellas. En consecuencia, *La Nueva Gramática* es también un tratado sorprendentemente sencillo de la materia, y representa, de hecho, la primera explicación completa, pero aun así muy comprensible, de la manera en que se usa el inglés.

Lo que estos tres libros producen, por lo tanto, es estudiantes que poseen la verdadera llave para la lengua inglesa: cómo está formada y cómo se usa con más eficacia para lograr una comunicación de nivel superior. Para los estudiantes más jóvenes, Ronald presenta además el libro ilustrado *Cómo Usar el Diccionario* y *Gramática y Comunicación* para niños. En ambos casos el resultado es el mismo: un dominio asombroso del idioma más importante del mundo en la actualidad. Era de esperar que el autor de estos libros fuera un escritor de renombre mundial. Pues lo que aquí se ofrece es nada menos y en definitiva, la facilidad con la que un escritor maneja el idioma... en todo su poder, su belleza y las sutilezas de su forma de expresión. Huelga decir que estas obras también proporcionan un extraordinario nivel de comprensión y, de hecho, una pasión por la lectura con tal profundidad y claridad que al ponerlas en manos del estudiante del siglo XXI, con su sombrío analfabetismo, honestamente tenemos ante nosotros el medio para lograr un renacimiento cultural. ■

"La gramática se establece mediante el uso común del lenguaje y la fomentan los escritores".

De ahí que Ronald redefiniera la gramática y se la entregara al ciudadano común. Por consiguiente, también, reintrodujo el tema en su libro La Nueva Gramática y en esa forma la estableció no como un estudio académico, sino como una herramienta para la comunicación. Lo que sigue, entonces, es su propia nota preliminar sobre la gramática, su historia, su función y sus errores. Como una nota preliminar y muy amplia sobre el tema en general, nos dice con cierto énfasis:

"La gramática es algo que la gente necesita para comprender y para ser comprendida, y eso es todo".

GRAMÁTICA

de L. Ronald Hubbard

"GRAMÁTICA" ES LA MANERA en que las palabras se organizan para formar el habla y la escritura, con el fin de transmitir pensamientos, ideas y significados exactos entre las personas. Es, en esencia, un sistema de acuerdos sobre la relación que existe entre las palabras para producir una comunicación con significado.

Eso es todo lo que es la gramática. Si se define de otra forma, los estudiantes pensarán que se les están enseñando reglas para las aulas, y no la manera de hablar y de leer.

Esta definición no se encontrará en los diccionarios porque la gramática cayó en manos de los gramáticos, quienes habían entendido mal, ellos mismos, la palabra "gramática". Es eso, y sólo eso, lo que hace que la gramática sea difícil. Lo que estás tratando de hacer es eliminar las complicaciones que son el resultado de eso.

La gramática se establece mediante el *uso común* del lenguaje y la fomentan los escritores. Entró en un remolino muy oscuro, en un río muy oscuro cuando cayó en manos de los profesores. Esto es, básicamente, lo que tiene de malo. Ni siquiera es difícil entenderla. Sólo es difícil entender la inhabilidad de los profesores para escribir sobre ella.

La gramática no es *el estudio* de nada. Es el uso de algo. Ahora bien, los "profesores" creen que cualquier cosa es un estudio. La razón es que se les paga para que le digan a la gente que es *un estudio*. La gramática es parte de *la existencia diaria* y si no la conoces y no eres capaz de usarla, nadie te entenderá, no podrás entender a otros y, en muchas ocasiones, las cosas y las personas serán un misterio para ti.

Si la gramática se define como la manera en que las palabras se organizan para formar el habla y la escritura con el fin de transmitir pensamientos, ideas y significados exactos entre las personas, los estudiantes estarán ansiosos de estudiarla, en lugar de creer que están sufriendo bajo el yugo de "profesores" que no son capaces de hablar y comunicarse. La gramática es algo que la gente necesita para comprender y para ser comprendida, y eso es todo. *Ronald*

El campus de entrenamiento de Applied Scholastics International en Spanish Lake, Missouri, proporciona instrucción sobre todas las herramientas de alfabetización y metodologías de L. Ronald Hubbard, Spanish Lake es ahora el punto de donde brota el movimiento de la Tecnología de Estudio que comprende a más de 120,000 educadores

CAPÍTULO CUATRO

Applied
SCHOLASTICS

Applied
Scholastics

L A IMPLEMENTACIÓN A GRAN ESCALA DE LAS HERRAMIENTAS de estudio de L. Ronald Hubbard comenzó en 1972 por medio de Applied Scholastics International (APS). Fundada por un consorcio de educadores estadounidenses, y administrada por la Association for Better Living and Education (Asociación por una Vida y Educación Mejores),

Applied Scholastics se dedica a la diseminación mundial de la tecnología educativa de LRH. El centro académico de la red se encuentra en el campus internacional de entrenamiento en Spanish Lake, Missouri. Aquí, educadores de todo el mundo adquieren las herramientas de alfabetización de LRH para aplicarlas en cada área concebible en aproximadamente setenta naciones. En realidad y hasta la fecha, Applied Scholastics ha estado trayendo el don del aprendizaje de L. Ronald Hubbard a cientos de miles de instructores y a muchos millones de estudiantes.

Sin embargo, al principio los esfuerzos se centraron en los estudiantes menos privilegiados, de manera más notable en Sudáfrica, donde anteriormente el propio Ronald había dedicado mucha energía para mejorar las escuelas en los territorios, haciendo frente al apartheid. El problema era la práctica muy inquietante de no medir a los estudiantes por el mismo rasero, pues a los niños nativos se les "educaba" en el sentido más inexacto de la palabra. Como ejemplo de unas cuantas estadísticas terribles: de cada cien niños de raza negra que ingresaban a una escuela segregada, sólo uno finalmente lograba calificar para recibir educación superior. De los restantes, sólo cuatro lograban conseguir diplomas en un instituto. Mientras tanto otros diez millones de niños nunca pasaban un solo día en clase, lo que llevó a advertencias sobre el peligro de revueltas sociales y una generación perdida.

En respuesta, sin embargo, los métodos de estudio de L. Ronald Hubbard se introdujeron en las escuelas segregadas en lo que él describió como una acción vanguarlista. Para 1975, bajo un organismo

Izquierda
La Gran Apertura en 2003 del campus de entrenamiento de Applied Scholastics International en Spanish Lake, Missouri

El campus de Applied Scholastics en Spanish Lake, Missouri: el centro mundial de un movimiento académico exclusivamente dedicado a la "tecnología educativa de L. Ronald Hubbard".

afiliado de Applied Scholastics conocido como Education Alive, el programa ya abarcaba varios distritos y ayudaba a varios miles de estudiantes e instructores. Hoy en día los resultados se consideran legendarios. Después de un curso de tres semanas sobre los métodos de estudio de LRH, adolescentes de raza negra en Transkei tuvieron un avance de más de dos años en sus niveles de lectura. Aún más, la tasa de fracasos del 15 por ciento en el Colegio Educacional de Moretele se redujo llegando solo al 2 por ciento. Además, en la Escuela Primaria de Bapedi, una clase que previamente se había considerado "imposible, retrasada o claramente estúpida" de pronto pudo presumir calificaciones que superaron la norma, lo que hizo que en un principio los educadores se mostraran incrédulos. Como consecuencia, y fortalecida con donativos de empresas, Education Alive experimentó una rápida expansión de modo que al final, los métodos de estudio de L. Ronald Hubbard estuvieron en manos de unos 45,000 instructores.

En otras regiones del continente, la historia de la tecnología de estudio de L. Ronald Hubbard es igual de impactante. El movimiento rápidamente se esparció hacia el vecino Zimbabwe donde otros dieciocho mil educadores adoptaron de inmediato las herramientas de alfabetización de LRH para lograr que otro millón de estudiantes lograra una comprensión "muchísimo mejor". Gambia también participó en este movimiento, pues el ministerio nacional implementó la Tecnología de Estudio para dar impulso a los niveles de lectura que anteriormente habían sido lánguidos, llevándolos muy por encima de la norma de la zona al sur del Sahara.

En general siempre hay más resultados en cualquier lugar donde los estudiantes estén decayendo. Se presentó la tecnología de estudio a unos treinta mil niños con problemas educativos en las escuelas del estado de Puebla en México. Inmediatamente después, los resultados de las pruebas se elevaron doce veces por encima del promedio nacional. Con una respuesta igualmente rápida, el Ministro de Educación Estatal duplicó los recursos de entrega declarando lo siguiente: "¡Esta es la solución que México necesita!"

La historia de la tecnología de estudio es igualmente poderosa en Venezuela, donde majoras de 75 por ciento en el desempeño de los estudiantes se relacionan con un 90 por ciento en la reducción de la violencia en los colegios. Sólo para enfatizar la diversidad, los textos educativos de L. Ronald Hubbard llegaron a las listas de best sellers nacionales en el siempre competitivo Japón.

La historia de la Tecnología de Estudio en las escuelas con problemas en Estados Unidos no es menos brillante. Como proveedores complementarios de servicios educativos relacionados con la ley "No Dejar Atrás a Ningún Niño", los entrenadores de Applied Scholastics tienen un registro sin precedente en cuanto a salvar escuelas en la "lista crítica". Por ejemplo, un instituto de Memphis, Tennessee estaba al borde de inminentes recortes financieros federales

y posiblemente de su clausura, a menos que el rendimiento académico se mejorara en forma radical. Por tanto, la misión de rescate de Applied Scholastics realizó lo que llegó a ser una resucitación académica al introducir la Tecnología de Estudio en todo el programa de estudios. A continuación ocurrió lo que ha recibido el nombre del "Milagro de Memphis", pues la escuela adoptada por APS fue la única institución del distrito en librarse de las listas críticas federales. Aún más, y aquí también tenemos el sello distintivo de APS: la hazaña se logró en menos de veinte horas de tutoría, después de las cuales los niveles de lectura se elevaron más de dos grados académicos.

Hay muchas más historias ejemplares en los archivos de casos de Applied Scholastics. Aproximadamente trescientos estudiantes de institutos en Tennessee fueron igualmente resucitados en cinco semanas de tutoría con la Tecnología de Estudio; y como resultado 97.5 por ciento aprobaron las pruebas estándar que los supervisores de distrito estaban seguros que no aprobarían.

Los archivos de casos son igualmente detallados cuando hablamos de las escuelas de los barrios sobrepoblados que se encuentran en la zona urbana de Los Ángeles. Como ejemplo de las terribles estadísticas, las escuelas sufrían un alto índice de deserción que llegaba al 60 por ciento, lo que dejaba a casi la mitad de la población de edad escolar en un analfabetismo funcional. (Las cifras se elevan en forma significativa cuando se habla de los miembros de las diversas pandillas callejeras de Compton, lo que, por cierto, es revelador en cuanto a las habituales amenazas de violencia física contra los maestros de zonas sobrepobladas, y por lo tanto sobre la condición de "alto riesgo" en que viven los instructores de Compton). Algo que no es tan fácil de medir, pero que también es parte integral del problema, es lo que los líderes de la comunidad describen como desesperación profunda: el hecho de que una proporción significativa de la juventud de Compton no pudo llenar solicitudes de empleo, y la expectativa de vida de un "guerrero" de los barrios bajos sea de veintitantos años... a menos, por supuesto, que se le retire de las calles para que cumpla una condena de más de diez años en prisión.

Incluso a este callejón sin salida de la enseñanza Occidental llegó la Tecnología de Estudio de LRH a través del Proyecto de Alfabetización y Aprendizaje de Compton. La meta era la salvación intelectual de la juventud en riesgo, y en especial de aquellos que vienen de las pandillas notoriamente violentas de los vecindarios. Una palabra más sobre el asunto, y una importante: los fundadores del proyecto describieron su misión como "la base de todas las bases". Es decir, uno puede hablar de forma superficial sobre la asistencia económica a las comunidades de raza negra menos privilegiadas, "pero primero debemos enseñarles a leer". Precisamente con ese fin, los instructores de Compton introdujeron el

Arriba El campus de entrenamiento de Applied Scholastics en Spanish Lake, Missouri, da la bienvenida a educadores de unas cincuenta naciones y de cada área académica que se pueda concebir.

Abajo Mediante un Programa de Logros de Applied Scholastics, los educadores de alto nivel se convierten en especialistas de la Tecnología de Estudio, y a su vez entrenan a sus compañeros en sus respectivos sistemas escolares. Así, las herramientas para el aprendizaje y la alfabetización de L. Ronald Hubbard están ahora en funcionamiento para beneficio de millones de personas.

Derecha La sala principal de Spanish Lake, lugar donde se llevan a cabo las reuniones de Applied Scholastics, que atraen una asamblea internacional de educadores de cada nivel académico, literalmente, desde profesores de jardín de niños hasta Ministros de Educación

libro ilustrado *Cómo Usar el Diccionario* para niños y *Gramática y Comunicación* para niños, de L. Ronald Hubbard.

Los resultados fueron de nuevo inmediatos y espectaculares. En general, los jóvenes de Compton ganaron dos años académicos por cada veinte horas de tutoría, haciendo que un subdirector del Instituto Nacional de Alfabetización describiera el programa afirmando que estaba trabajando "donde realmente

hace falta en lo que se refiere a resolver los problemas de analfabetismo en Estados Unidos".

Las historias individuales son igualmente conmovedoras.

- Los que una vez fueron pandilleros malvados, pronto se convirtieron en instructores personales de miembros de bandos rivales, quienes a su vez después firmaron su contrato como instructores.

- Alguien que solía ser un incorregible gánster escribió: "Ahora sé por qué quieren que hagamos este curso. Quieren que hagamos este curso porque las palabras son poder. Y si se conocen las palabras, no es necesario usar las armas".

- Alguien que solía ser un traficante de drogas analfabeto escribió: "Entre el cielo y la Tierra hay un lugar donde la plenitud espiritual se puede lograr".

- Alguien que solía ser un hombre sin hogar, analfabeto y adicto a la cocaína consiguió su primer trabajo fijo, alquiló su primer apartamento y en lo que constituyó una decisión memorable, recuperó la custodia de su hija (que se encontraba en un hogar adoptivo); sus habilidades de lectura alcanzaron un nivel universitario.

A partir de ahí, el proyecto se convirtió en lo que es hoy: la Cruzada de Alfabetización Mundial con programas hermanos en todo Estados Unidos,

Canadá, Gran Bretaña, Australia, Nueva Zelanda, India y Malasia. Un proyecto con propósitos similares en Hollywood ganó subvenciones de la Oficina del Gobernador de California donde la policía informó sobre correlaciones directas entre la elevación de los índices de alfabetización en la juventud en riesgo y la caída en picado de los índices de criminalidad juvenil. Además, el proyecto fue merecedor del Premio al Voluntario Comunitario del Presidente de Estados Unidos, y luego se extendió a otras ciudades de Estados Unidos, Gran Bretaña y África.

De manera similar, hay casi dos docenas de centros de la Asociación de Dinamarca por una Educación Básica Eficaz, lo que actualmente ha llegado a ser una red de aprendizaje extraescolar. Como en otras partes, a los centros daneses habitualmente se les pide que rescaten estudiantes que han fracasado en el sistema de escuelas públicas, reafirmando así lo que los programas de Applied Scholastics representan en cuanto a remediar la educación.

La historia se expande aún más cuando la tecnología educativa de L. Ronald Hubbard se pone en funcionamiento en todo un programa educativo. La red de escuelas de Applied Scholastics presenta la Tecnología de Estudio en su totalidad en todos los cursos de estudio. Las escuelas más grandes son las Escuelas Delphi con academias en Oregon, California, Florida y Massachussets. Las Academias Delphi abarcan niveles desde jardín de

niños hasta secundaria, y proporcionan todo lo que todas las mejores escuelas privadas promocionan: una atmósfera que lleva al estudiante a la excelencia, mayor atención individual, y en general un cuerpo docente de nivel superior. Además, al adherirse estrictamente a la Tecnología de Estudio de L. Ronald Hubbard en todos los aspectos de la instrucción, Delphi hace mucho más. En realidad, el estudiante de Delphi habitualmente está por delante de sus compañeros en otras escuelas, como lo muestran las pruebas estándar de aptitud, y sus calificaciones superan todas las normas nacionales. Más aún, y aunque es difícil medirlo con estadísticas, el estudiante de Delphi es un estudiante genuinamente entusiasta. Ciertamente, y esto proviene de un estudio independiente que se llevó a cabo en coordinación con el Departamento de Educación de Estados Unidos:

"Las contribuciones del Sr. Hubbard a la metodología educativa reflejan las investigaciones actuales relacionadas con lo que sabemos sobre la forma en que la gente aprende. La aplicación de esta metodología permite al estudiante convertirse en alguien más responsable, más independiente y seguro de sí mismo, mientras se le enseñan estrategias y habilidades para ayudarle a pensar, a aprender y a desarrollar más de su potencial a lo largo de su vida".

Aunque es bastante obvio, podría mencionarse que el campus de Delphi está libre de drogas y de violencia.

La historia se repite en los lugares en que uno encuentra escuelas de Applied Scholastics: en la Escuela Amager Internacional de Copenhague, donde estudiantes de docenas de naciones estudian ahora de acuerdo al método de L. Ronald Hubbard, y todo financiado por el gobierno danés; en la Escuela Greenfield de Inglaterra, donde se ha mejorado la educación tradicional británica con Tecnología de Estudio durante más de tres décadas; y en la Chesapeake Ability School de Virginia, donde los estudiantes obtienen puntuaciones muy superiores a la media nacional en los Tests de Aptitud Escolar.

Todo esto nos lleva de regreso al campus internacional de entrenamiento en Spanish Lake, Missouri, desde donde se dirigen las actividades de APS. Fue diseñado exclusivamente para responder a las demandas globales por la Tecnología de Estudio y proporciona a los educadores entrenamiento para implementar esa tecnología en sus propias escuelas/universidades. Tomando en cuenta lo que la tecnología educativa de LRH representa a lo largo del resto de la comunidad escolar, Spanish Lake está orientado además al formador corporativo, al tutor y al consultor educativo. En realidad, y a pesar de las etiquetas con las que convenientemente se desechan los fracasos educativos, Spanish Lake afirma el hecho de que cualquiera puede comprender mejor la palabra escrita con la tecnología educativa de L. Ronald Hubbard. ∎

Debido a las contribuciones de L. Ronald Hubbard a la educación y el alfabetismo llegan los premios y reconocimientos desde cada rincón académico. Es importante mencionar a los países en vías de desarrollo donde más de un educador ahora proclama, "La esperanza de llegar a tener una gran nación es ahora posible con la Tecnología de Estudio".

Epílogo

"Vivimos en una era de analfabetismo generalizado" –nos recuerda L. Ronald Hubbard– y sus consecuencias son graves. Además de las repercusiones obvias de pérdida de productividad, finalmente debemos afrontar el hecho de que existen por lo menos dos generaciones que no son capaces de comprender o de comunicarse de manera significativa. También debemos afrontar al peor grupo de aquellos que nunca se graduaron: faltos de interés debido a las drogas, con los ojos apagados a causa de la televisión y los videojuegos, sin poseer una mínima concepción de la historia, las matemáticas, las bellas artes o la literatura, y en ocasiones increíblemente violentos.

Al mismo tiempo, sin embargo, tratemos de captar todo el significado de esta declaración final: Habiendo estudiado el analfabetismo, las poblaciones analfabetas y semianalfabetas, L. Ronald Hubbard ha proporcionado las soluciones a la crisis educativa mundial. Estas soluciones permiten una comprensión completa de cualquier materia. Se aprenden y se aplican con facilidad, y además están disponibles para todo el que quiera usarlas.

APÉNDICE

GLOSARIO

A

abdominal: relacionado con el abdomen, o localizado en él. El *abdomen* es la parte del cuerpo que contiene el estómago, los intestinos y otros órganos. Pág 76.

abeja asesina: abeja agresiva que se crió accidentalmente en Brasil a partir de tipos de abejas originarias de África y Europa y que se ha extendido hacia el norte llegando a México y a partes de Estados Unidos. Se usa en sentido figurado. Pág 14.

Academia Naval: alusión a la Academia Naval de EE.UU., escuela donde se entrena a los oficiales de Marina, situada en Annapolis, Maryland (estado del este de EE.UU., en la costa Atlántica). Pág 29.

académico: relativo a una escuela u otras instituciones educativas. Pág 3.

acechar: vigilar o aguardar cautelosamente con algún propósito. Pág 14.

adaptación: aceptar o cambiar un plan, idea, causa o práctica para que corresponda a ciertas condiciones o a un propósito específico. Pág 64.

adolescente: relacionado con el periodo de la *adolescencia,* el periodo de desarrollo que empieza la pubertad y termina al llegar a la edad adulta. Pág 3.

Adventure: revista de ficción popular estadounidense fundada en 1910 y la cual se publicó principalmente como revista mensual hasta 1971. Además de las historias de aventura y ficción, la revista tenía otros reportajes, entre ellos una columna para que los lectores escribieran y un servicio de preguntas y respuestas. Pág 20.

afiliado: rama o unidad de una organización más grande. Pág 92.

afinidad: agrado o atracción natural por una persona, cosa, idea, etc. Pág 45.

Agaña: antiguo nombre de *Hagatna,* capital de Guam, situada en la costa occidental de la isla. Pág 11.

agotamiento, sensación de: exhausto o sin vitalidad ni fuerza. Pág 44.

ahondar: buscar mejor entendimiento, significado o uso de algo. Pág 64.

alter ego: en el psicoanálisis, un segundo yo. Un término que a veces se utiliza para referirse al lado opuesto de una personalidad. Pág 17.

ámbito: área de interés, actividad o algo similar. Pág 3.

analfabetismo funcional: condición en la que la habilidad de leer y escribir no se han desarrollado adecuadamente, y por lo tanto es difícil o imposible funcionar en las actividades cotidianas que requieren estas habilidades. Pág 75.

antipatía: fuerte sentimiento de desagrado u hostilidad; una oposición fija y directa hacia alguien o algo. Pág 45.

Apartheid: (en la República de Sudáfrica) política estricta de discriminación y segregación política y económica de la población de color, que estuvo vigente de 1948 a 1991. Pág 91.

Applied Scholastics Internacional: asociación de educadores fundada en 1972 y dedicada a la diseminación global de la tecnología educativa de LRH. Desde su campus central de entrenamiento en Spanish Lake, una comunidad ubicada cerca de St. Louis, Missouri, y a través de sedes locales en todo el mundo, Applied Scholastics proporciona a educadores, gobiernos, grupos comunitarios, padres de familia y estudiantes, las herramientas para el aprendizaje que necesitan para lograr un mundo libre de analfabetismo, donde los individuos sepan como aprender y puedan lograr las metas que hayan elegido. Pág 88.

arbitrario: que se basa en una decisión personal o en una elección al azar en lugar de seguir alguna regla, principio o sistema. Pág 4.

Army Alfa: también conocido como Army Alpha, examen con tiempo límite desarrollado durante la Primera Guerra Mundial (1914–1918) y que usó el ejército de EE.UU., para examinar a los reclutas en cuanto a su inteligencia y habilidad. Pág 56.

arrogante: desagradablemente orgulloso y que se comporta como si supiera más o fuera más importante que otras personas. Pág 70.

artículo: palabra que indica si un orador o escritor se está refiriendo a una persona, lugar o cosa concreta (por ejemplo: *el* perro) o si se está refiriendo a cualquier persona o cosa de un grupo general (por ejemplo: un perro). Pág 44.

artillería: arte de construir y usar todas las armas, máquinas y municiones de guerra. Pág 29.

Asociación Cristiana de Jóvenes: organización internacional que fomenta actividades sociales, físicas y educativas para la juventud y para adultos de ambos sexos y de todas las edades. La asociación se adhiere a principios cristianos, pero no impone a sus miembros ninguna condición religiosa. Las siglas YMCA vienen del inglés *Young Men's Christian Association*. Pág 28.

asociación de palabras: un método psicoanalítico desarrollado por Sigmund Freud para diagnosticar lo que estaba mal en una persona. *Asociación* se refiere a una idea, imagen, etc., sugerida de forma inconsciente a través de algo diferente a ella misma. En la asociación de palabras, el practicante tenía una idea acerca de lo que estaba mal en la persona mediante la observación y luego le preguntaba a la persona lo que le venía a la mente, justo cuando se decía una palabra en concreto (una palabra que al practicante le parecía que tenía algo que ver con lo que estaba mal en la persona). El practicante utilizaba eso para intentar resolver lo que le molesta a la persona. Pág 9.

Asociación por una Vida y Educación Mejores (ABLE, Association for Better Living and Education): corporación internacional pública no lucrativa formada en 1988 y dedicada al mejoramiento social. ABLE puede autorizar grupos calificados de mejoramiento social para usar las tecnologías de L. Ronald Hubbard en actividades seculares de caridad y en actividades educativas. Desde su sede principal en Los Ángeles, California, y mediante grupos regionales ubicados por todo el mundo, ABLE se encarga de que las soluciones de LRH sean implementadas para elevar la moral pública, incrementar la adhesión a los derechos humanos, rehabilitar vidas a través de reformas en el campo de las drogas y el crimen y mejorar la educación mediante el uso de la Tecnología de Estudio de LRH. Pág 91.

atril: soporte en forma de plano inclinado que sirve para sostener papeles y leerlos con mayor comodidad. Pág 15.

aversión: oposición o repugnancia que se tiene a alguna persona o cosa. Pág 59.

ávido: deseoso o entusiasta acerca de algo. Pág 65.

axiomas: enunciados de leyes naturales similares a los de las ciencias físicas. Pág 36.

B

balbucear: hacer sonidos suaves o murmurar. Pág 31.

Barnaby Rudge: novela histórica del autor inglés Charles Dickens, una historia de controversia religiosa que se desarrolla en Inglaterra a finales del siglo XVIII. Pág 33.

bellas artes: cualquiera de las diferentes artes (pintura, música, escultura, dibujo, acuarela, artes gráficas o arquitectura) que se considera fueron creadas primordialmente para propósitos artísticos y que se juzgan por su belleza y significado. Pág 101.

beréberes: pueblo que habita en las regiones del norte de África desde los principios de la humanidad. Hay referencias sobre ellos que datan de hace más de tres mil años A. C. y a menudo los mencionan los antiguos egipcios y romanos. Por muchos siglos los beréberes habitaron la costa norte de África desde Egipto hasta el Océano Atlántico. Pág 75.

biología: ciencia del origen, desarrollo, características físicas, hábitos, etc., de los seres vivos. Pág 28.

bita: cada uno de los postes de madera o de hierro que, fuertemente asegurados a la cubierta cerca de la proa, sirven para dar vuelta a los cables del ancla. Pág 28.

bombardeo: acción de ser expuesto en forma persistente a algo. Pág 33.

bostoniano: persona que vive o nació en Boston, puerto de Massachusetts y capital de ese estado, que está en el noreste de EE.UU. Pág 65.

Browning, Robert: (1812-1889) poeta inglés, destacado por sus estudios de carácter finamente elaborados en un estilo de poesía que él desarrolló y que se conoce como _monólogos dramáticos._ En estos poemas, Browning habla con la voz de un personaje imaginario o histórico en un momento dramático de la vida de ese personaje. Pág 18.

Bruner, Jerome: (1915–) psicólogo y educador estadounidense, figura importante en el estudio de la percepción y el desarrollo del lenguaje. Pág 17.

C

cadenas de palabras: hecho de que aparezcan una o más palabras malentendidas en la definición de la palabra que el estudiante está aclarando; a esto se le llama *cadena de palabras*. Pág 52.

calado: marcas en una barca para indicar a qué profundidad está. Mediante estas marcas se puede saber cuánta carga tiene la barca. Pág 28.

Cálculo Fácil: libro sobre cálculo originalmente publicado en 1910 por Silvanus P. Thompson (físico y escritor científico británico) se le considera una introducción clásica y elegante a la materia y sigue siendo uno de los textos más populares de cálculo que se hayan escrito. Pág 29.

caligrafía antigua: se refiere a una caligrafía elegante que se popularizó en el siglo XVIII y que se caracteriza por inclinarse hacia la derecha, por ondas regulares y porque los trazos verticales eran más gruesos que los horizontales. En el siglo XVIII se enseñaba a los niños en Europa y Estados Unidos. Se basaba en modelos de caligrafía creados por maestros en los siglos XVII y XVIII. Pág 67.

carácter: conjunto de cualidades que distinguen a alguien, especialmente las relacionadas con la mente o los sentimientos. Pág 68.

caramba: exclamación de sorpresa u otro sentimiento fuerte. Pág 33.

casta: clase social separada de otra por distinciones de rango hereditario, profesión o riqueza. Pág 36.

catalogar: ordenar y anotar en forma sistemática. Pág 42.

catapulta: literalmente, un artilugio que puede lanzar objetos a gran velocidad. Se usa en sentido figurado. Pág 19.

categoría social: posición, reputación o estatus de alguien en la sociedad. Pág 84.

Centro de Recursos para la Ética: organización sin fines de lucro dedicada a una investigación independiente que presenta altos estándares y prácticas de ética en instituciones públicas y privadas. El Centro de Recursos para la Ética se fundó en 1922 y se encuentra en Arlington, Virginia. Pág 2.

Chaucer: Geoffrey Chaucer (¿1340?–1400), destacado poeta inglés de la Edad Media cuyas obras fueron de gran influencia en el desarrollo de la literatura inglesa. Pág 60.

chinos, caracteres: símbolos o letras que se usan para escribir en chino o japonés. Pág 62.

clamor popular: protesta o demanda. Pág 28.

clasificar: asignar a una categoría, en especial en forma inadecuada. Pág 3.

cm cúbico: unidad de medida de volumen equivalente a un cubo de un centímetro de largo, ancho y alto. Pág 23.

codificado: preparado en forma de *código,* sistema de palabras que se usan de forma simbólica para comunicar un significado más allá de lo que el texto representa literalmente. Pág 18.

colono: persona que se establece en una tierra lejana bajo el gobierno de su patria. Pág 65.

combustión: acto o proceso de quemarse algo. Pág 52.

complejo de la industria armamentista: red de las fuerzas nacionales militares junto con todas las industrias que la apoyan. Pág 17.

componente: se aplica a la sustancia, cosa, persona, etc., que forma parte de algo que se expresa. Pág 4.

Compton: ciudad y suburbio de Los Ángeles, California. Pág 93.

comunicación: intercambio de ideas entre dos o más personas. Pág 5.

conceptual: que se relaciona con los conceptos (algo creado en la mente; idea o pensamiento general) o con la formación de conceptos. Pág 45.

conjunción: palabra o frase que unen otras palabras o frases. Por ejemplo, en la frase "Juan y Pedro están llevando una caja", la conjunción *y* une los dos nombres, *Juan* y *Pedro.* Pág 44.

consorcio: cualquier asociación o unión. Pág 91.

contemporáneo: característico del periodo presente; moderno; actual. Pág 41.

contexto: palabras o pasajes de un texto que están antes o después de una palabra en particular para explicar o determinar su significado completo; el sentido general de la palabra o una clarificación de ella. Pág 51.

Copenhague: capital y ciudad más grande de Dinamarca, ubicada en dos islas vecinas en la parte este del país. Pág 97.

cruzada: acción vigorosa para la defensa o promoción de una idea, causa, etc. Pág 62.

cuello almidonado: cuello de la camisa de un hombre al que se le ha puesto *almidón,* una sustancia que se usa para endurecer la tela antes de plancharla. Pág 20.

culto: persona instruida que muestra refinamiento en sus gustos y en sus maneras de hablar y actuar. Pág 70.

Curso Hubbard de la Llave de la Vida: un curso de Scientology que maneja las razones por las que una persona no puede entender lo que lee y escucha y por las que otros no pueden entenderle. Su resultado una persona que está en comunicación porque puede expresarse fácil y claramente, tanto en forma verbal como escrita, y puede entender plenamente las comunicaciones que recibe de otros. El Curso Llave de la Vida es un avance importante en el campo de la comunicación. Pág 5.

curva: representación gráfica de las variaciones causadas en algo por la influencia del cambio de condiciones. Pág 28.

D

declarar: decir o dar a conocer abiertamente. Pág 5.

dejar frío: dejar sorprendido o sin capacidad de reacción. Pág 22.

Departamento de Educación de Estados Unidos: departamento ejecutivo del Gobierno de Estados Unidos, creado en 1979 a partir de los departamentos federales anteriores que estuvieron involucrados en la educación desde mediados del siglo XIX. El propósito del departamento es asegurar a toda la población una igualdad en cuanto a las oportunidades educativas y mejorar la calidad de la educación a través de ayuda federal, programas de investigación e intercambio de información. Pág 97.

Departamento del Trabajo de Estados Unidos: parte del departamento ejecutivo del Gobierno de Estados Unidos, creado en 1913, con el propósito de promover el bienestar de los obreros, mejorar sus condiciones laborales e incrementar sus oportunidades de tener empleos fructíferos. Pág 76.

desajuste: se refiere a estar incorrectamente coordinado o estar fuera de contacto con algo; por ejemplo, en el significado o comprensión de algo. Pág 54.

desdén: indiferencia y desapego que denotan menosprecio. Pág 28.

deserción, tasa de: el porcentaje de estudiantes que dejan la escuela antes de terminar un curso, durante un periodo en particular. Pág 45.

Detective Fiction Weekly: revista de pulps que publicó alrededor de 900 números en total, desde principios de la década de 1920 hasta inicios de la década de 1950, y la cual contenía historias de muchos de los autores más conocidos de las revistas de ficción popular. Pág 20.

dialecto: forma de lenguaje o manera de hablar que es específico o característico de una región o grupo social. Pág 65.

Dianética: Dianética es una precursora y sub estudio de Scientology. Dianética significa "a través de la mente" o "a través del alma" (del griego *día,* a través y *nous,* mente o alma). Es un sistema de axiomas coordinados que resuelve problemas acerca del comportamiento humano y de las enfermedades psicosomáticas. Combina una técnica funcional y un método minuciosamente validado para aumentar la cordura borrando sensaciones indeseadas y emociones desagradables. Pág 1.

Dianética: La Ciencia Moderna de la Salud Mental: el libro más vendido de L. Ronald Hubbard, publicado por primera vez en 1950. Es el texto básico de Dianética y presenta la teoría y la práctica de la ciencia. Pág 36.

dicción: manera de pronunciar las palabras. Pág 57.

Dickens: Charles Dickens (1812–1870), prolífico escritor inglés de mediados del siglo XIX cuyos libros son notables por sus pintorescos y extravagantes personajes de los estratos económicos inferiores de Inglaterra. Pág 33.

diplomacia: ciencia o conocimiento de los intereses y relaciones de unas naciones con otras. Pág 84.

disertación: comunicación escrita o hablada acerca de un tema, en la que este se discute en profundidad. Pág 18.

divisiones por varias cifras: método de dividir un número por otro que tiene, normalmente, dos o más cifras, donde cada paso del proceso se escribía por completo. Pág 9.

doble estándar: criterio que se aplica con más rigor en un grupo (o individuo) que en otro. Pág 91.

Du Bois, W.E.B: William Edward Burghardt Du Bois (1868-1963), historiador, autor, educador y líder afroamericano, oponente a la discriminación racial. Aparte de sus enseñanzas y sus obras, Du Bois apoyaba las causas de los derechos civiles y ayudó a fundar la Asociación Nacional para el Progreso de la Gente de Color, (en inglés, NAACP). Pág 93.

E

Edificio Woolworth: edificio de sesenta pisos en la ciudad de Nueva York, EE.UU., construido en 1913. Fue el edificio de oficinas más alto en su tiempo, y continuó siéndolo durante casi veinte años. Pág 11.

educación masiva: educación diseñada para un gran número de personas. Pág 14.

ego: en psicoanálisis, la parte de la mente que se dice que experimenta el mundo externo a través de los sentidos y que organiza racionalmente los procesos de pensamiento y gobierna la acción. *Ego* significa "yo" en latín. Pág 17.

elocución: manera de hablar para expresar los conceptos. Pág 57.

emérito: retirado o cesado honrosamente del servicio activo, pero que mantiene el título de su cargo o posición. Pág 24.

eminencia: superioridad en rango, posición, carácter, logros, etc. Pág 27.

enjambre: colonia de abejas. Pág 14.

entorpecer: causar a alguien que parezca menos inteligente. Pág 77.

errata: una lista de errores y sus correcciones. Una *hoja de errata* puede estar suelta e insertarse en un libro, o puede incorporarse al libro antes de su encuadernación. Pág 67.

erudito: 1. Instruido en varias ciencias, artes y otras materias; persona que conoce con amplitud los documentos relativos con una ciencia o arte. Pág 20.
2. Bien informado; que tiene o muestra gran conocimiento, producto de su estudio y lectura. Pág 54.

escalofriante: que causa un sentimiento de pavor o terror. Pág 2.

escuela primaria: escuela que proporciona los primeros cuatro años de los ocho de educación básica. Pág 10.

Escuela Primaria de Bapedi: escuela para niños de temprana edad, ubicada en Soweto, una comunidad de color creada durante la era del Apartheid, pero que ahora forma parte de Johannesburgo, Sudáfrica. Pág 92.

escuela pública: en Inglaterra, escuela secundaria gratuita, por lo general son internados para estudiantes de un solo sexo. Las escuelas públicas preparan a los estudiantes para la universidad o para puestos en el gobierno. Pág 29.

esotérico: que está más allá del conocimiento o la comprensión de la mayoría de las personas. Pág 84.

espectro: imagen, fantasma, por lo general horrible que se presenta a los ojos o en la fantasía. Pág 3.

estancar: detener y parar; no permitir avanzar. Pág 59.

estatura: importancia o reputación adquirida por capacidad o por logros. Pág 36.

estrella ascendente: fama o influencia crecientes de un individuo, lo que se considera una prueba de que logrará gran éxito. Pág 18.

evaluar: determinar o medir el valor de algo. Pág 37.

"Excalibur": manuscrito filosófico escrito de L. Ronald Hubbard en 1938. Aunque no se publicó, el conjunto de información que contenía se ha publicado desde entonces en los materiales de Dianética y Scientology. *Excalibur* era el nombre de la espada mágica del Rey Arturo, un héroe legendario de Inglaterra, quien se decía que trajo paz y justicia en el siglo V o VI. Pág 26.

excéntrico: que se comporta de manera rara, no convencional. Pág 18.

exhortación: advertencia o llamamiento urgente. Pág 24.

experto: muy hábil; que realiza con perfección la acción a la que se refiere. Pág 5.

extasiado: de extasiar, producir o sentir una admiración o un placer tan grandes que hacen olvidarse de todo lo demás. Pág 54.

exultación: dedicación o fervor que brota de una emoción profunda y a menudo se expresa en lenguaje solemne. Pág 28.

F

facción: grupo de personas que forman una minoría muy unida, normalmente conflictiva, dentro de un grupo más grande. Pág 96.

fascista: alguien que practica el *fascismo,* sistema de gobierno dirigido por un dictador que tiene poder absoluto, suprime por la fuerza a la oposición y a la crítica, y controla estrictamente toda la industria, el comercio, etc. Pág 64.

fidelidad: grado en que un sonido o imagen que un aparato reproduce o transmite se asemeja al original. Pág 69.

Florida: estado en el sudeste de Estados Unidos, la mayor parte de su territorio se encuentra en una península entre el Océano Atlántico y el Golfo de México. Pág 24.

flujo de ideas: progreso de las ideas, como cuando se presenta una serie lógica de afirmaciones, datos, etc. Pág 45.

fonético: estudio de los sonidos del habla, su producción y combinación, y su representación con símbolos escritos. Pág 4.

forastero: alguien de otro país o región. Pág 65.

formador corporativo: persona que trabaja en una empresa u organización y que es responsable de entrenar al personal en las destrezas específicas necesarias para su posición y en destrezas sociales, tales como la comunicación efectiva, el liderazgo, etc. Pág 97.

G

Gambia: estado al oeste de África que se extiende a ambos lados del río Gambia, el cual desemboca en el Océano Atlántico. Pág 92.

geológico: relacionado con la *geología,* ciencia que estudia la historia física de la Tierra, las rocas de las que está compuesta, y los cambios físicos y químicos de la Tierra que han ocurrido o que siguen ocurriendo. Pág 52.

geometría del espacio: rama de la geometría (la ciencia que investiga las propiedades y las relaciones de las magnitudes en el espacio), que trata sobre figuras sólidas o tridimensionales. Pág 29.

gradiente: hacer algo en gradiente es abordarlo gradualmente, paso a paso, nivel por nivel; cada paso o nivel es fácil de lograr, de modo que, finalmente, se pueden realizar con relativa facilidad actividades complicadas o difíciles. El término *gradiente* también se usa en forma de sustantivo cuando se aplica a cada uno de los pasos que se dan. Pág 43.

gramático: alguien que conoce la gramática o el lenguaje general; por ejemplo, su estructura, ortografía, etc. En forma más general, alguien que escribe sobre los elementos básicos de un idioma. Pág 84.

Guerra Fría: hostilidades cercanas a un conflicto militar que existieron después de la Segunda Guerra Mundial (1939–1945) entre la Unión Soviética con los países que apoyaban el sistema comunista, y los países democráticos del mundo occidental bajo el liderazgo de Estados Unidos. Pág 17.

H

Hammett, Dashiell: (1894–1961) influyente autor estadounidense de novelas de detectives. Tomaba sus ideas de los años que trabajó como detective privado, y comenzó a escribir a principios de la década de 1920. Tenía un estilo muy realista y creó personajes y tramas que han seguido siendo populares. Algunas de sus obras más conocidas, como *The Maltese Falcon (El Halcón Maltés*, 1930), fueron más tarde adaptadas al cine. Pág 14.

Harvard: la universidad más antigua en Estados Unidos que se encuentra en Cambridge, Massachusetts. Fue fundada en 1636 y es un centro de investigación y educación que proporciona instrucción en una amplia variedad de asignaturas, incluyendo derecho, medicina, administración, gobierno, religión, artes y ciencias. También tiene una de las bibliotecas más grandes y completas del mundo. Pág 16.

Heinlein, Robert: (1907–1988) autor estadounidense que se considera uno de los escritores más importantes de ciencia ficción. Surgió durante la Edad de Oro de la ciencia ficción (1939–1949) y escribió muchas novelas, entre ellas la clásica *Stranger in a Strange Land (Forastero en Tierra Extraña,* 1961). Ganó cuatro Premios Hugo y se le otorgó el primer Premio Grand Master Nebula por sus logros a lo largo de su vida en el campo de la ciencia ficción. Pág 15.

Helena: ciudad capital de Montana, estado al noroeste de Estados Unidos que hace frontera con Canadá. Pág 10.

Henry, O.: pseudónimo de William Sydney Porter (1862–1910), escritor estadounidense de cuentos, reconocido por sus giros de trama inesperados que llevan a un final sorprendente. Pág 62.

hermano: se refiere a una organización que tiene una relación con otra del mismo origen, intereses compartidos, problemas similares o algo similar. Pág 96.

Historia de Dos Ciudades: novela histórica del escritor Charles Dickens. La historia se enfoca en sucesos en Londres y París a finales del siglo XVIII, durante la Revolución Francesa. Pág 33.

homónima: se refiere a palabras que se escriben de la misma manera, pero tienen distintos significados. Pág 62.

horas de crédito: reconocimiento que otorga una escuela o universidad y que representa una hora de clase por semana durante el periodo que se esté enseñando ese curso. Pág 21.

hosco: que muestra resentimiento. Pág 3.

"huevo o la gallina, el": dicho de un problema que aparentemente no tiene solución. La expresión viene literalmente del ejemplo de este problema expresado por el huevo y la gallina que es como sigue: para que exista una gallina, deber haber existido primero un huevo, pero para que el huevo exista, debe haber habido una gallina que ponga el huevo, la pregunta entonces es: ¿qué fue primero? ¿La el huevo o gallina? Pág 77.

I

ilegales, profesionales: referencia al fútbol americano, donde es ilegal que un jugador profesional (el que recibe dinero por jugar) juegue en un equipo de fútbol universitario, el cual está formado exclusivamente por aficionados (los que juegan sólo por placer). Pág 12.

ilícito: ilegal, que no está de acuerdo con las reglas o tradiciones. Pág 77.

impedimento: accidente o suceso que dificulta algo que se pretende llevar a cabo. Pág 36.

imperioso: que contiene autoritarismo o que abusa de autoridad. Pág 21.

implícito: que se insinúa, en lugar de declararlo directamente. Pág 11.

incapacidad: falta de capacidad para hacer actividades específicas. Pág 1.

incentivo: cosa que anima o estimula a hacer algo que se expresa. Pág 13.

inculcar: fijar algo profundamente en la mente de alguien repitiendo una frase; instruir con persistencia. Pág 37.

indigente: referido a una persona que no tiene los medios suficientes para subsistir. Pág 62.

ingeniero naval: un ingeniero es uno cuya profesión tiene que ver con el diseño, la construcción y el uso de motores, máquinas o estructuras, como puentes, carreteras, canales, líneas férreas, puertos, obras de drenaje, de gas y de agua, etc. En este contexto, un ingeniero naval es el que trabaja en un *astillero,* un recinto grande, cerrado contiguo al mar, donde se construyen barcos, se reparan y se les da mantenimiento. Pág 62. Pág 11.

inmutable: que no cambia o se debilita. Pág 33.

innovador: nuevo y original o que tiene un enfoque nuevo y original. Pág 82.

insidioso: que actúa o procede de tal manera que pasa inadvertido o es aparentemente inofensivo, pero que de hecho tiene un efecto grave; lenta y sutilmente dañino y destructivo. Pág 44.

insomnio: incapacidad de dormir o quedarse dormido durante suficiente tiempo como para descansar, especialmente cuando es un problema continuo. Pág 76.

Instituto de Fotografía de Nueva York: escuela de fotografía fundada en la ciudad de Nueva York en 1910. Imparte un curso por correspondencia (el material de estudio se manda por correo al estudiante quien a su vez envía sus tareas a la escuela para que se le califiquen) que enseña la tecnología de fotografía con el objetivo de entrenar a los estudiantes a ser aficionados de alto nivel o profesionales pagados en el campo. El curso abarca los fundamentos del tema, tanto en la teoría como en la aplicación práctica, incluyendo diferentes estilos de fotografía, iluminación, técnicas de cuarto oscuro y demás. Pág 41.

Instituto Nacional de Alfabetización: agencia del gobierno de Estados Unidos creada a comienzos de la década de 1990, con el fin de desarrollar métodos para mejorar la alfabetización de niños y adultos. Pág 94.

integral: parte esencial o fundamental de algo. Pág 45.

intermedio: que está situado o que actúa entre dos puntos, etapas o cosas. Pág 57.

intrigante: que despierta curiosidad o interés. Pág 13.

ironía: algo que ocurre que es inadecuado o extraño, que no es adecuado para lo que se debería esperar que ocurra, especialmente cuando parece absurdo o ridículo. Pág 14.

Islas del Mar del Sur: islas en el sur del Océano Pacífico. Pág 65.

itinerante: que está en un lugar durante un tiempo relativamente corto y que luego se traslada a otro lugar. Pág 9.

K

Kansas: estado en el oeste de Estados Unidos. Pág 65.

L

Lancelot: caballero de la Edad Media que aparece de las leyendas del Rey Arturo y la Mesa Redonda. Lancelot ganó fama por ser valiente y fue el favorito del Rey Arturo, pero tuvo relaciones románticas con la Reina Guinevere, esposa del Rey Arturo, lo que provocó su caída. Pág 32.

latín: idioma de la antigua Roma y de su imperio. El latín también se usó en Europa (en especial durante la Edad Media, del año 400 al 1400) como la lengua del gobierno, de los médicos, abogados, eruditos y sacerdotes. Pág 21.

latitud: distancia que hay desde un punto de la superficie terrestre al Ecuador, contada por los grados de sus meridianos (círculos de la esfera terrestre que pasan por los polos). Pág 16.

Leipzig, escuela de: enfoque o método de la "psicología moderna" como la formularon el psicólogo alemán Wilhelm Wundt y otros en 1879 en Leipzig, una ciudad en el este de la zona central de Alemania, donde se encuentra la Universidad de Leipzig. Pág 13.

Lincoln, Abraham: (1809–1865) décimo sexto presidente de EE.UU. que llevó a la victoria a los estados del norte contra los estados del sur en la Guerra Civil y que abolió la esclavitud. Pág 62.

lingüista: persona diestra en el manejo de los idiomas; alguien que puede hablar otro idioma a demás del suyo. Pág 32.

lingüística: estudio de los idiomas y la naturaleza y estructura del habla, incluyendo los diferentes sonidos que se usan al hablar, la formación de palabras, la estructura de las oraciones y el origen de las palabras. Pág 45.

lista de asistencia: cuaderno que el profesor tiene para registrar la asistencia de sus estudiantes. Pág 4.

liturgia: ritual de ceremonias o actos solemnes religiosos. Pág 84.

Luzón: la isla más grande de las Filipinas, situada en la parte norte del país. Pág 29.

M

Maine: estado que se localiza en el extremo norte de la costa este de Estados Unidos. Pág 65.

majestuoso: impresionante y atractivo, que causa admiración y respeto por su belleza. Pág 62.

Malasia: país del sudeste asiático que consiste en dos regiones geográficas divididas por el Mar de la China Meridional. Pág 96.

manuscrito: trabajo de un autor escrito a mano o a máquina, que se ha publicado. Pág 26.

Marruecos: reino en el norte este de África, limitado al norte por el mar Mediterráneo y al oeste por el océano Atlántico. Pág 75.

masa: alusión a objetos sólidos reales. Pág 42.

matricular: inscribirse en un instituto o universidad para obtener un certificado, después de satisfacer previamente los requisitos, como aprobar un examen de admisión. Pág 12.

mazo: en polo, un palo largo flexible que se usa para golpear la pelota. Pág 32.

medidor de volumen: medidor que se usa para reproducir sonidos o grabaciones y que mide el nivel del sonido. Pág 69.

medieval: relacionado a la Edad Media en Europa (más o menos desde el siglo IV hasta el siglo XIV). Anticuado, pasado de moda. Pág 84.

Memphis: ciudad portuaria a lo largo del río Mississippi en la parte suroeste de Tennessee (un estado en el sureste de Estados Unidos). Pág 92.

metafísico: relacionado con la *metafísica,* rama de la filosofía que se ocupa de la naturaleza de la existencia o de la naturaleza de la realidad que está por encima o va más allá de las leyes de la naturaleza o que es más que lo físico. Pág 18.

métrica: arte que trata de la medida y estructura de los versos, de sus clases y de las combinaciones que pueden formarse con ellos. Pág 32.

1984: famosa novela satírica del autor inglés George Orwell (1903–1950) publicada en 1949. La novela está ambientada en el futuro, en una sociedad supuestamente "perfecta", pero donde la libertad de pensamiento y de acción han desaparecido y el mundo está dominado por unos cuantos estados totalitarios. El gobierno mantiene una vigilancia continua sobre su gente, negándoles cualquier privacidad, con carteles que proclaman "El Gran Hermano (el todopoderoso dictador del estado) te vigila". Pág 60.

ministro: alguien que ha sido nombrado para dirigir y encabezar un departamento ejecutivo o administrativo de un gobierno. Pág 92.

misionero(a): relacionado con las funciones que llevan a cabo las personas que una iglesia manda a otro país para predicar su religión y para llevar a cabo trabajo social o médico. Pág 10.

Mississippi: río Mississippi, el segundo río más largo en EE.UU., con 3,766 kilómetros de longitud, que atraviesa los estados centrales de norte a sur hasta el Golfo de México. Pág 60.

Missouri: estado de la región central de Estados Unidos. Pág 88.

monosílabo: referido a una palabra, que tiene una sola sílaba. Pág 54.

Montana: estado del nordeste de Estados Unidos que hace frontera con Canadá. L. Ronald Hubbard vivió en Montana cuando era joven. Pág 10.

moral: pertinente o relacionado con los principios o reglas de conducta o la distinción entre el bien y el mal. Pág 1.

moraleja: la enseñanza practica contenida en un cuento, un suceso o algo similar. Pág 69.

Moretele: comunidad ubicada al norte de Pretoria, capital administrativa de Sudáfrica, ubicada en la parte noreste del país. Pág 92.

Moss, Dr. Fred: (1893–1966) médico, psicólogo y presidente de la Facultad de Psicología de la Universidad George Washington de 1924 a 1936. Pág 13.

N

NAACP: las siglas de la *Asociación Nacional para el Progreso de la Gente de Color,* (por las siglas en inglés de *National Association for the Advancement of Colored People*), organización de derechos civiles en Estados Unidos. Fundada en 1909; trabaja para garantizar la igualdad de derechos para toda la gente y para acabar con la discriminación racial. Pág 93.

Nebraska: estado en la parte central de Estados Unidos. Pág 9.

Nicaragua: país más grande de Centro América, ubicada entre el norte del Océano Pacífico y el Mar Caribe. Pág 20.

ninfa: en la mitología griega, un ser espiritual que se creía que habitaba en los árboles y en los bosques. Pág 31.

nipa, choza de: *nipa* es una palmera de la India y las Filipinas, etc., cuyas hojas se usan para cubrir tejados, cestas, etc. Una *choza de nipa* es una pequeña casa que tiene un techo hecho de hojas de la palmera de nipa. Pág 11.

"no dejar atrás a ningún niño": referencia a una reforma educativa en EE.UU. que fue aprobada en el 2001 e intentaba identificar las escuelas de rendimiento bajo a través de exámenes anuales de lectura y matemáticas. La ley dictaba acciones correctivas en las escuelas que continuaban fallando, incluyendo el reemplazar a ciertos profesores, revisar el programa de estudios, o correr el riesgo de quedar en manos del estado. Pág 3.

nomenclatura: sistema o conjunto de nombres o designaciones que se usan en un campo concreto. Pág 81.

O

Oficina del Gobernador, California: departamentos ejecutivos bajo el gobernador de California que supervisan varias agencias y programas que operan a nivel estatal. Pág 96.

Oregon: estado del noroeste de Estados Unidos, en la costa del Pacífico. Pág 96.

originación: comunicación, algo que una persona ofrece voluntariamente. Pág 57.

Orwell, George: George Orwell, seudónimo de Eric Arthur Blair (1903–1950), famoso escritor inglés que ganó reputación por su astucia política y sus sátiras mordaces. Orwell fue autor de novelas y ensayos, y comenzó a destacar a principios de los años 40 gracias a sus dos libros más famosos: *Rebelión en la Granja* y *1984,* los cuales reflejan su eterna desconfianza y su desacuerdo con un gobierno dictatorial. Pág 60.

Oscurantismo: periodo de decadencia severa dentro de una civilización en el que se carece de conocimientos o cultura; periodo que se caracteriza por la falta de actividad intelectual o espiritual, comparable con el Oscurantismo, un periodo de mil años en la historia europea que empezó en el año 400 D. C., y de manera específica a su oscuridad intelectual; es decir, la falta de enseñanza y aprendizaje durante este periodo, la pérdida de muchas técnicas y destrezas artísticas y la virtual desaparición del conocimiento que previamente tenían las civilizaciones griegas y romanas. Pág 2.

Oxford: una de las universidades más antiguas y más conocidas del mundo; está en el sur de Inglaterra. Pág 29.

P

Pablo, apóstol: líder del cristianismo del primer siglo y *apóstol* prominente, uno de los primeros seguidores de Jesucristo que llevó el mensaje cristiano al mundo. Pablo fue misionero en regiones cercanas a Israel y en partes de Grecia. Pág 24.

Pacífico, Sur del: región del Océano Pacífico al sur del ecuador, incluyendo sus islas. Se extiende desde el ecuador hasta la Antártida. Pág 11.

palabra malentendida: palabra que *no* se comprendió o que se comprendió *incorrectamente*. Pág 44.

palmeta: palo o caña para castigar a alguien. Pág 27.

paralelismo: algo que es muy parecido a otra cosa, que comparte muchas características. Pág 13.

pasatiempo: manera de entretenerse; cualquier cosa hecha para la recreación, tal como una afición. Pág 60.

Pavlov: Ivan Petrovich Pavlov (1849–1936) fisiólogo ruso, célebre por sus experimentos con perros. Pavlov le enseñaba comida a un perro mientras hacía sonar una campana. Después de repetir este proceso varias veces, el perro (anticipadamente) segregaba saliva al sonar la campana, tanto si había comida como si no. Pavlov concluyó que todos los hábitos adquiridos por el hombre, incluso sus actividades mentales superiores, dependían de reflejos condicionados. Pág 13.

pelotón a la derecha: orden que se usa al marchar para hacer que las tropas cambien su dirección a la derecha. Pág 23.

penal, sistema: grupo organizado de tribunales, prisiones, etc., que tienen que ver con los castigos que impone la ley. Pág 1.

perplejidad: el estado o condición de estar completamente confuso. Pág 29.

perspectiva: punto de vista específico al entender o juzgar cosas o sucesos, especialmente cuando muestra las relaciones que tienen entre sí. Pág 10.

pilar: algo que se considera fundamental o como apoyo principal, por ejemplo, en un campo de estudio o actividad, parecido a un *pilar,* una columna hecha de piedra, metal o madera que sostiene parte de un edificio. Pág 9.

plástico: sustancia a la que se le pueden dar diversas formas y lo pueden usar, por ejemplo, los artistas de maquillaje para modificar el rostro de los actores para que puedan representar un papel específico. Pág 33.

polisílabo, ba: que contiene varias sílabas, especialmente cuatro o más; una sílaba es el grupo de letras que se pronuncia con una sola voz. Polisílabo se refiere a alguien que usa palabras muy complicadas para mostrar que sabe mucho. Pág 60.

polo: juego originario de la India en el que dos equipos de cuatro jugadores cada uno, a caballo, intentan introducir una pelota de madera en la portería del oponente, usando un largo mazo de asa flexible. Pág 32.

Por qué Juanito No Puede Leer: se refiere al libro *Why Johnny Can't Read,* por Robert Flesch, un best seller de mediados de la década de 1950 que abordaba los problemas de la enseñanza de la lectura y cómo remediarlos. Pág 3.

precedente: ocasión o caso anterior que se toma o que se puede tomar como ejemplo o regla para casos posteriores, o mediante el cual se puede apoyar o justificar algún acto o circunstancia similar. Pág 31.

pregunta capciosa: pregunta diseñada para obtener más información de lo que parece a simple vista. Pág 13.

Premio al Voluntario Comunitario: también llamado *Premio del Presidente a los Servicios Voluntarios,* un programa establecido a nivel nacional para honrar a los estadounidenses que prestan servicios como voluntarios para ayudar a mejorar sus comunidades. El premio, que consiste de un distintivo, un diploma y una nota de agradecimiento del presidente de Estados Unidos, se otorga a los individuos y grupos que han demostrado que prestaron servicios voluntarios excelentes en sus comunidades durante un periodo de doce meses. Pág 96.

prensa hidráulica: mecanismo que ejerce presión para aplastar algo o para darle forma. *Hidráulico* indica que funciona, o se mueve mediante el uso de agua u otro líquido. Pág 20.

preposición: palabra que muestra la relación entre una persona, lugar o cosa y alguna otra palabra (o palabras) en la oración. Por ejemplo, en "el libro está *sobre* la mesa", la preposición sobre muestra la relación entre el libro y la mesa, indicando dónde está el libro. Pág 44.

prestigio: posición o estimación a los ojos de otros; influencia; reputación. Pág 36.

Primera Guerra Mundial: (1914–1918) guerra librada entre los aliados (Inglaterra, Francia, Rusia y Estados Unidos después de 1917) y las potencias centrales (Alemania, Austria y otros países europeos). La guerra terminó con la derrota de Alemania en 1918. Pág 56.

profesionales ilegales: referencia al fútbol americano, donde es ilegal que un jugador profesional (el que recibe dinero por jugar) juegue en un equipo de fútbol universitario, el cual está formado exclusivamente por aficionados (los que juegan sólo por placer). Pág 12.

programa(s): reproducción de material grabado, por ejemplo como voces, música, o algo similar. Pág 68.

promedio: el promedio de los grados de un estudiante a lo largo de un periodo concreto, se calcula asignando un valor de 4 a A, 3 a B, 2 a C, 1 a D y 0 a F. Pág 78.

prosa: la forma común y corriente de escribir, en contraste con el verso o la poesía. Pág 60.

provincia: partes de un país fuera de la capital o de las grandes ciudades, a menudo se considera que sus habitantes no usan una pronunciación correcta, y tienen deficiencias en cuanto a la moda, los modales o los gustos. Pág 65.

psicoestimulantes: drogas que se toman para estimular el sistema nervioso central del cuerpo. Se toman para aumentar supuestamente la capacidad de atención, pero son adictivas y uno tiene que tomar más de la droga para evitar la depresión y la somnolencia. Pág 42.

psicotrópico: droga que afecta la actividad mental, el comportamiento o la percepción; droga que altera el estado de ánimo. Pág 76.

Puebla, estado de: estado en el sur de la zona central de México. Pág 92.

pulpa de madera: se relaciona con la pulpa, papel tosco y barato utilizado para imprimir revistas o periódicos de manera económica. La pulpa son las fibras de la madera que le dan al papel su textura tosca. Pág 14.

pureza: cualidad o estado de ser *puro,* específicamente, sin nada más de lo que apropiadamente debe tener; sin alteración, sin error o sin que algo externo se haya añadido. Pág 42.

R

radio: elemento metálico blanco altamente radiactivo. Pág 23.

rayo de luz: aspecto placentero de algo que no es placentero o es malo en todos los demás aspectos. Pág 18.

redentor: de redimir, librar a alguien de una obligación o de una situación penosa o lamentable. Pág 12.

regla de cálculo: regla con una tira central deslizante marcada con escalas graduadas; se ha usado desde mediados del siglo XVII para hacer cálculos rápidos y precisos, especialmente para multiplicar y dividir. Pág 28.

reglamentado: organizado mediante un sistema de disciplina y control rígidos. Pág 18.

regulador: algo que tiende a reducir o eliminar las diferencias entre ciertas cosas. Pág 65.

reloj de control de asistencia: reloj que tiene un dispositivo que puede ser activado manualmente para imprimir la hora exacta en una tarjeta o una cinta; se usa para mantener un registro de la hora de algo, como la llegada o salida de los empleados. Pág 22.

renacimiento: período en el que se revive, se experimenta un cambio pronunciado o una nueva vida en la filosofía, el arte, la literatura, etc. Pág 85.

repercusión: efecto generalizado, indirecto o imprevisto de un acto, acción o acontecimiento. Pág 101.

repetir como un loro: repetir o reproducir lo que se ha oído, leído o aprendido, de forma totalmente mecánica, sin evidencia de comprensión. Pág 29.

represión: condición que ocurre cuando se ejerce control a la fuerza en cosas como la libertad de expresión o de pensamiento, en la creatividad o algo parecido. Pág 9.

residir: vivir en un lugar o estar establecido ahí. Pág 36.

respuesta fisiológica: *fisiológico* se refiere al funcionamiento de los cuerpos vivos. Respuesta se refiere a algo que se hace como reacción a una influencia o a un suceso, etc. Respuesta fisiológica significa señales físicas externas o indicadores de una reacción (a algo). Pág 42.

resurgimiento: acción de resurgir (surgir de nuevo, volver a aparecer; volver a la vida). Pág 1.

retórico: arte de usar las palabras de forma efectiva, especialmente al escribir. Pág 18.

revolución: cualquier tipo de cambio súbito, completo o radical en una condición, situación, tema, campo de actividad, etc. Pág 5.

revolucionario: completamente nuevo y diferente, especialmente en formas que llevan a grandes cambios benéficos. Pág 80.

ruido de tornos y telares, zumbar con el: llenarse con ruidos de maquinaria. Un *torno* es una máquina en la que se hace que un objeto gire sobre sí mismo, generalmente para poder modelarlo. Un telar es una máquina para fabricar la tela. Pág 21.

S

Sahara, al sur del: que se encuentra o proviene de las regiones del continente africano, al sur del *Sahara,* el desierto más grande del mundo, el cual abarca la mayor parte del norte de África. Pág 92.

Saint Hill Manor: "manor" en inglés significa una casa grande y sus terrenos. Básicamente es una finca. Saint Hill Manor está ubicada en East Grinstead, Sussex, en Inglaterra, y fue la residencia de L. Ronald Hubbard y también el centro de comunicaciones y entrenamiento internacional de Scientology, desde finales de los años 50 hasta mediados de los años 60. Pág 41.

San Pedro: ciudad al sur de California, EE.UU., junto a Los Ángeles. San Pedro tiene uno de los puertos más grandes construidos por el hombre y es también la ubicación de una base militar y naval. Pág 16.

San Petersburgo: ciudad en el oeste de Florida (un estado en el sureste de los Estados Unidos), cerca de Tampa. Pág 24.

sargento(s): suboficial de grado más bajo en el ejército, a menudo a cargo de entrenar a los soldados. Pág 35.

Scientology: Scientology es el estudio y tratamiento del espíritu con relación a sí mismo, los universos y otros seres vivos. La palabra Scientology viene del latín *scio,* que significa "saber en el sentido más pleno de la palabra" y la palabra griega *logos,* que significa "estudio". En sí, la palabra significa literalmente "saber cómo saber". Pág 1.

Segunda Guerra Mundial: (1939–1945) conflicto que implicó a todas las grandes potencias mundiales. Por un lado estaban los aliados (principalmente Gran Bretaña, Estados Unidos y la Unión Soviética) y por el otro lado estaban las potencias del Eje (Alemania, Japón e Italia). El conflicto fue el resultado de la aparición de regímenes militaristas en Alemania, Japón e Italia después de la Primera Guerra Mundial (1914–1918). Acabó con la rendición de Alemania el 8 de mayo de 1945 y la de Japón el 14 de agosto de 1945. Pág 9.

semántica: estudio o ciencia del significado, o una interpretación del significado, de palabras, señales, frases, etc. Proviene de la palabra en griego *semantikos,* que quiere decir significante. Es decir, que las palabras son símbolos y se les da significado o interpretación. Pág 9.

sensorio-motor: que tiene que ver con la relación entre los sentidos y el movimiento muscular; de *sensorio,* relacionado con los sentidos y *motor,* que se relaciona con el movimiento muscular. Desarrollo *sensorio-motor* es un término que usan los psicólogos infantiles al teorizar que hay una fase en el aprendizaje en que el niño utiliza sus sentidos para investigar sobre su cuerpo y sobre los objetos en el entorno. Pág 13.

Shakespeare: William Shakespeare (1564–1616), poeta y dramaturgo inglés; el autor más famoso de la literatura inglesa. Pág 18.

Shandong: provincia costera en el noreste de China. Pág 4.

sinónimo: palabra que tiene el mismo, o casi el mismo, significado que otra en el mismo idioma. Pág 52.

socialismo nacional: los principios y prácticas de Adolf Hitler y los nazis; por ejemplo, un gobierno basado en principios totalitarios, control estatal de toda la industria, eliminación forzada de la oposición y racismo, especialmente prejuicios contra los judíos. Pág 13.

solemnidad: que se caracteriza por un sentimiento, apariéncia o carácter serio o dignificado. Pág 20.

soluciones para el revelado de negativos: soluciones químicas que se usan para revelar películas. *Revelar* significa colocar la película que se ha expuesto a la luz (como cuando se toma una fotografía) en varios líquidos para que la imagen sea visible. Cuando la película se expone a la luz se graba una imagen invisible. La película se introduce en una serie de baños químicos que hacen que la imagen se vuelva visible como negativo. La película se deja secar. Ahora el negativo puede usarse para imprimir la fotografía. Pág 41.

sombrío: áspero o repugnante en sus actitudes y acciones. Pág 3.

Spanish Lake: sede internacional y campus de entrenamiento de Applied Scholastics International, en Spanish Lake, una comunidad ubicada cerca de St. Louis, en la parte este de Missouri, un estado en la parte central de los Estados Unidos. Pág 88.

subordinar: someter, hacer que algo dependa de otras cosas o esté dominado por ellas. Pág 13.

suprimir: impedir que algo pase, que funcione o que salga a la luz; contener algo y limitar sus efectos. Pág 55.

Sussex: antiguo condado del sudeste de Inglaterra, dividido ahora en dos condados, East Sussex y West Sussex (Sussex oriental y occidental). Saint Hill está situado en East Grinstead, West Sussex. Pág 41.

T

taberna: también llamada *pub,* establecimiento donde se sirven bebidas alcohólicas y se puede escuchar música. Pág 54.

taciturno: habitualmente callado o reservado. Pág 3.

Tacoma: puerto en la costa oeste de Estados Unidos, en el estado de Washington. Pág 9.

tambaleo, sensación de: estado, cualidad o condición de sentir *tambaleo,* marearse, sentir inestabilidad o confusión. Pág 43.

tecnología: métodos de aplicación de un arte o una ciencia en oposición al mero conocimiento de la ciencia o del arte mismo. Pág 1.

Tecnología de Estudio: término que se refiere a los métodos desarrollados de L. Ronald Hubbard que capacitan a los individuos a estudiar en forma efectiva. Es una tecnología exacta que todos pueden utilizar para aprender una nueva materia o adquirir una destreza nueva. Proporciona una comprensión fundamental de los principios de cómo aprender y da maneras precisas para superar las barreras y dificultades que uno puede encontrar al estudiar, por ejemplo, no entender palabras o símbolos. Pág 4.

Tempestad, La: tragicomedia (una composición dramática o literaria que combina los elementos de la tragedia y la comedia) escrita por William Shakespeare. *La Tempestad* trata sobre una tormenta, un naufragio y las aventuras de aquellos que naufragaron en una isla encantada. Pág 18.

Tennyson: (1809–1892) Alfred, Lord Tennyson, poeta inglés famoso por componer una variedad de poesías y tener una habilidad incomparable para usar detalles con significados sutiles en sus obras. Pág 32.

Tests de Aptitud Escolar: examen que exigen las instituciones de educación superior en Estados Unidos para la admisión en una universidad. El test está diseñado para evaluar las matemáticas, y las capacidades verbales y de razonamiento. Pág 97.

Thompson, S. P.: Silvanus Phillips Thompson (1851–1916), físico, escritor y orador británico que abordó una amplia gama de temas técnicos y científicos. Su obra, *Calculus Made Easy (Cálculo Fácil, 1910)* sigue siendo uno de los textos más populares sobre cálculo básico. Pág 29.

Thorndike: Edward Lee Thorndike (1874–1949), psicólogo y educador estadounidense que hizo hincapié que el Hombre es un animal dominado por un comportamiento de estímulo-respuesta. Thorndike influyó en los profesores para que incorporaran esos puntos de vista en sus enseñanzas a los niños. Pág 12.

topógrafo: alguien cuya ocupación es tomar medidas correctas de parcelas de tierra para determinar sus límites, elevaciones y dimensiones. Pág 35.

Transkei: un antiguo *territorio* en Sudáfrica; una región cuyo gobierno era parcialmente autónomo y que se creó y se destinó para la población de raza negra bajo la antigua política de apartheid. Desde el fin del apartheid, Transkei ha sido parte de la *Provincia Este del Cabo,* una provincia al sureste de Sudáfrica, en el Océano Índico. Pág 92.

trastorno: condición que incluye una alteración en el funcionamiento normal del cuerpo y la mente. Pág 4.

Trastorno de Déficit de Atención: etiqueta psiquiátrica para un supuesto trastorno (enfermedad) que se aplica a las personas, especialmente a los niños, que tienen una deficiencia (carencia) en la habilidad de concentrar la atención y que son considerados hiperactivos (demasiado activos) también se le conoce como *Trastorno de Déficit de Atención con Hiperactividad (TDAH)*. Pág 4.

"Trastorno de Lectura 315": término inventado para un supuesto mal que hace que sea difícil para una persona el aprender a leer. Pág 76.

tratado: obra formal sobre un tema, normalmente escrita de forma extensa. Pág 21.

Twentieth Century Limited: tren expreso de vapor cuya trayectoria principal fue de Nueva York a Chicago; dio servicios de 1902 a 1967. El *Twentieth Century Limited* usó el primer motor de vapor de alta potencia, logrando hacer el recorrido de la ciudad de Nueva York a Chicago en dieciocho horas. Pág 17.

U

UNESCO: organización educacional y científica de las Naciones Unidas, una agencia establecida en 1946 para animar a las naciones a trabajar en conjunto en las áreas de educación, ciencias, cultura y comunicación. A través de estas acciones cooperativas UNESCO espera fomentar el respeto universal por la justicia, las leyes, los derechos humanos y las libertades básicas. Pág 3.

Universidad Americana: una universidad privada en Washington, D.C., fundada en 1893. Ofrece cursos en una amplia gama de campos, entre ellos las artes y las ciencias, comunicaciones, relaciones públicas, administración de negocios y leyes. Pág 82.

Universidad de California: institución educativa subvencionada por el estado, fundada en el siglo XIX y ubicada en California, con nueve campus separados en ubicaciones en todo el estado, incluyendo Los Ángeles. Pág 78.

V

venerar: sentir un profundo respeto o admiración por algo. Pág 23.

Venezuela: país en el noroeste de Sudamérica. Pág 92.

Virginia: estado en el este de Estados Unidos, al sur de Washington, D.C. Pág 97.

vociferar: hablar o gritar en voz muy alta y con fuerza. Pág 21.

Voltaire: nombre que usaba François Marie Arouet (1694–1778), dramaturgo, filósofo y poeta francés. Voltaire creía que todos los hombres deberían tener libertad de pensamiento y respeto, y habló contra la intolerancia, la tiranía y la superstición. Como parte de su filosofía, él afirmaba que los hombres pueden llegar a un acuerdo sobre dos o tres puntos que puedan comprender, pero que pueden discutir interminablemente sobre dos mil o tres mil puntos que nunca pueden comprender. Pág 59.

vulgo: el común de la gente. Pág 84.

W

Wilbur, William Allen: (1864–1945) profesor de inglés en la Universidad de George Washington a finales del siglo XIX y decano de una de sus facultades a comienzos del siglo XX. Pág 18.

Wundt: Wilhelm Wundt (1832–1920), psicólogo y fisiólogo alemán; el creador de la psicología moderna y de la doctrina falsa según la cual el Hombre no es más que un animal. Pág 13.

Y

yugo: algo que se considera opresivo o agobiante. Literalmente, un *yugo* es un armazón que encaja en el cuello y los hombros de una persona, y se utiliza para cargar cubos o cestos. Pág 87.

Z

Zimbabwe: país en Sudáfrica, anteriormente conocido como Rodesia del Sur y después como Rodesia. Zimbabwe toma su nombre de la famosa ciudad de Gran Zimbabwe, construida con piedra en el siglo XIV, y que se encuentra al sureste del país. Pág 92.

zoología: estudio científico de los animales, especialmente relacionado con su estructura y comportamiento. Pág 29.

zumbar con el ruido de tornos y telares: llenarse con ruidos de maquinaria. Un *torno* es una máquina en la que se hace que un objeto gire sobre sí mismo, generalmente para poder modelarlo. Un telar es una máquina para fabricar la tela. Pág 21.

ÍNDICE TEMÁTICO

V

W

LA COLECCIÓN DE
L. RONALD HUBBARD

"Para realmente conocer la vida", escribió L. Ronald Hubbard, "tienes que ser parte de la vida. Tienes que bajar y mirar, tienes que meterte en los rincones y grietas de la existencia. Tienes que mezclarte con toda clase y tipo de hombres antes de que puedas establecer finalmente lo que es el hombre".

A través de su largo y extraordinario viaje hasta la fundación de Dianética y Scientology, Ronald hizo precisamente eso. Desde su aventurera juventud en un turbulento Oeste Americano hasta su lejana travesía en la aún misteriosa Asia; desde sus dos décadas de búsqueda de la esencia misma de la vida hasta el triunfo de Dianética y Scientology, esas son las historias que se narran en las Publicaciones Biográficas de L. Ronald Hubbard.

Tomada de la colección de sus propios archivos, esta es la vida de Ronald como él mismo la vio. Cada número se enfoca en un campo específico y proporciona los hechos, las cifras, las anécdotas y fotografías de una vida como ninguna otra:

Aquí está la vida de un hombre que vivió por lo menos veinte vidas en el espacio de una.

The L. Ron Hubbard Series
A PROFILE

DIANETICS — LETTERS & JOURNALS

ADVENTURER/EXPLORER — DARING DEEDS & UNKNOWN REALMS

EARLY YEARS OF ADVENTURE — LETTERS & JOURNALS

WRITER — THE SHAPING OF POPULAR FICTION

LITERARY CORRESPONDENCE — LETTERS & JOURNALS

POET/LYRICIST — THE AESTHETICS OF VERSE

MUSIC MAKER — COMPOSER & PERFORMER

PHOTOGRAPHER — WRITING WITH LIGHT

HORTICULTURE — FOR A GREENER WORLD

MASTER MARINER — AT THE HELM ACROSS SEVEN SEAS

Para pedir ejemplares de *La Colección de L. Ronald Hubbard*
o para libros o conferencias de L. Ronald Hubbard
sobre Dianética y Scientology, contacta:

EE.UU. e Internacional

Bridge Publications, Inc.

5600 E. Olympic Blvd.

Commerce, California 90022 USA

www.bridgepub.com

Tel: (323) 888-6200

Número gratuito: 1-800-722-1733

Reino Unido y Europa

New Era Publications International ApS

Smedeland 20

2600 Glostrup, Denmark

www.newerapublications.com

Tel: (45) 33 73 66 66

Número gratuito: 00-800-808-8-8008